△躍馬中原。

△參加文訊雜誌，93年籌辦的《少年十五二十時作家年輕照片展》活動。看看60年前後的我。

△返鄉品嚐兒時愛吃的煎涼粉的滋味。

△傳授雜誌編輯實務。

△登上萬里長城。

△2000年9月24日在福州參加座談會爲兩岸文化交流略盡棉薄。

△與賢妻施雯攝於
客廳一角。

△與愛妻施雯陪岳母大人漫遊在山色水湄間。

△俺娘與賢妹桂花
攝影留念。

△與三姑秦福雲、三姑丈關雲興合
影留念。

△賢妻施雯與長子西園攝影留念。

△與愛女西梅攝於庭園一角。

△拜訪名作家冰心女士。

△與名作家謝冰瑩吾師攝影留念。

△1997年6月8日西園與田翠琳在台中福華飯店舉行結婚典禮，宴客後與父母合影留念。

△2000年6月17日愛女西梅與馬丁在挪威結婚後乘車暢遊小鎮市區。

△孫女：秦　瑄
長孫：秦浩然

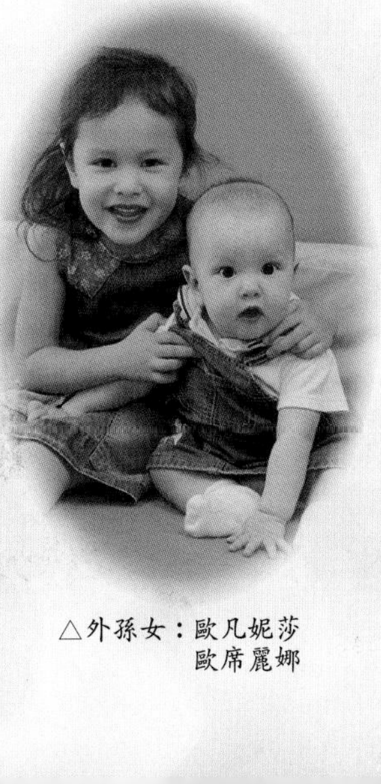

△外孫女：歐凡妮莎
歐席麗娜

△千禧年9月14日攝於成都杜甫草堂。
左起：九州行詩人群劉建化．晶晶．秦嶽．李政乃
藍雲．文曉村．王祿松．金筑．台客．詩薇

△2004年9月26日青島市文聯主席詩人紀宇設晚宴歡迎宴後留影。
前排左起：金筑．文曉村．紀宇．秦嶽．郭公達
後排左起：蔣連堪．夏青．邱淑嫦．方舟

△2004年9月20日參加重慶西南師大所舉辦的《首屆華文詩學名家國際論壇》留影。
右起：詩人金筑．文曉村．非馬．
秦嶽。

△與河南大學張教授俊山合影留念。

△2004年10月1日湯主任華海在威海抱海酒店設宴歡迎宴後留影。
前排左起：文曉村．湯華海．秦嶽．曹靜華
後排左起：王天國．邱淑嫦．楊珂．金筑

△與同鄉詩人評論家古繼堂合影留念。

文學叢刊

秦嶽著

書海微波

文史哲出版社印行

《書海微波》序

邱燮友

1

秦貴修，筆名秦嶽，河南省修武縣人。我認識他，是在國立台灣師範大學任教時，當時他是國文系的學生，他熱愛新文藝，喜愛創作，在上新文藝課程時，才知道他尤其熱愛新詩。在學校的社團中，有以新詩為主社團的，名為「噴泉詩社」，他與各系熱愛新詩的同學籌畫創辦了這個詩社，並被推舉為首任社長，成為這個詩社的負責推動人。那時，我是詩社的指導教授，因此對這位學生，有另一份特殊的師生情誼。

提起噴泉詩社，我必需進一步說明，那是在民國三十九年時，我考進省立師範學院，也是台灣師大的前身，那年我們班上有好幾位愛好新文學的同學，發起成立北斗寫作會，後來便在學校社團中，專以新詩的寫作和朗誦作為主要研習對象，成立了「細流詩社」。由細流到噴泉，這是由細小的水流，到奔放的激流，說明師大人重視詩教的重要性，五十年後，噴泉詩社仍然是台師大主要的學生社團之一；同時也說明了詩歌薪火傳誦不絕的意義。

秦貴修是一位熱忱又熱愛生命的詩人，他也是一粒詩的種子，只要給他一塊園地，便能在那裡培育詩歌的花朵，開放出詩歌的園林。他大學畢業後，他先後在台灣東部海星中學、北部華興中學、中部明道中學及台中女中任教，便跟愛好詩歌的朋友推展詩教，成立詩社，組合詩刊，參加編輯文藝刊物，激發生命的熱情，散發文藝的芬芳。

2

秦貴修的著述甚豐，前後出版的作品富盛，詩集有《夏日．幻想節的佳期》、《井的傳說》、《臉譜》、《山河奇情》、《詩誌山河情》；散文集有《影子的重量》、《雲天萬里情》、《山水浩歌》；論著有《散文欣賞》、《書香處處聞》等著作。他的作品，處處充滿了活力和創意，這些都是在教學之餘，累積下來的成果，證明了教學與實踐是不可分的，也是智慧和價值相乘所得的成果。

如今，他又將近年來的著述，編輯成一部《書海微波》。天下的書，多如瀚海，儘管增多一本，竟如滄海一粟，名為書海微波，並不為多；然而每一粒粟，每一微波，都有它可鑑賞的情意，都有它存在的姿態，誠如德國美學家，哲學家海德格(Martin Heidegger)所說的，「美學談論的是表象、體驗、判斷，絕對有用和令人愉快的東西。」（見《詩・語言・思想》(Poetry・Language・Thought)

書中每一頁，每一句，都代表了作者情意的流露，思想的精華，在在說明了「存在就是美」的道理。

《書海微波》一書，包涵兩大部分，一為序跋篇，共收錄十六篇，均為他人的著作所寫的序文或書後的跋，先細讀他人的著述，然後發為感言或心得，纂組成文，織錦成篇，且標題均以七言詩句，凝聚成章，如《長歌短詠迭相酬》、《山水浩歌山水情》。一為評論篇，共收錄三十篇，所評論的作品，包括二十九家，有散文、有詩集、有雜文、有小說、有論述，視野廣闊，性質多元化、多樣化，足見他近年所涉獵的文藝作品甚廣，關懷當代文壇的品質和數量，要求精緻的文藝，以及高格調的作品。就如同他在《書海微波》後記所說的：「談書的目的，不僅在增進知識，更重要的是在變化氣質，端正品行。」

藝術的本性是詩，詩的本性都是真理的建立，觀察秦貴修的言行著述，都是在宣揚詩歌的價值，盡詩人的責任。他一直在宏揚詩歌，建立和諧美好的現實生活，使現實生活充滿了活力和創意，使現實生活成為詩的理想國、詩的理想世界。

·民國九十六年於台北·國立台灣師範大學國文系研究室。

目錄

●評論篇

序跋篇

張建岳　洪　荒　孫　磊

游　喚　趙衛民　劉太和　路　衛　謝榮聰

王鼎鈞　王逢吉　文曉村　朱煥文　柴　扉　苦　苓　張拓蕪

歸　人　羅　門　劉建化　李榮炎　台　客

李崇科　馬水金　秦　嶽

校園文集試啼聲

·為《青青文集》作跋

編者：秦嶽　出版：文源書局

『這次「文學名著讀後」的習作，寫得很好，甲班同學建議彙集優美的作品，出版專集，你們班上有甚麼高見？』

有一次上新文藝習作時，謝老師提出了這個問題。教室裏，鴉雀無聲。同學們，你看看我，我望望你，無人作答。

『班長哪！請你發表意見？』

過了一會兒，謝老師把視線移在我的臉上。我站起來，迎著同學們投過來的奇異的眼光，把蘊藏在心裏已久的構想說了出來。

同學們有的在喁喁私語，有的在比手劃腳。稍事安靜之後，謝老師興奮地說：

『構想很遠大；但要達到完美的成功境地，還得經過一段艱苦的歷程。希望你與甲、丙兩班的班長，多多策劃，共同努力！』

這就是醞釀出版《青青文集》的開始。

如今，我們誠惶誠恐地，終於把《青青文集》呈現在讀者的面前了。正如謝老師所說，我們是經過一段艱苦的歷程的。

《青青文集》的作品，是按照作者姓氏筆劃多寡而依次編排的。每篇作品，都是作者生活的一部份；對您來說，也許是已發生，或未發生，或正在發生的事。但那都不關緊要；問題是：您只要能在其中摘取些微喜悅，或者些微淒清，那就是值得我們欣慰的。

另外，韓國留華同學梁東淑，日籍留華同華深澤俊彥，僅在師大國文系攻讀了兩年，對我國文字的運用就能如此純熟，實在是一件難能可貴的事。

容納了將近五十萬字的青青文集，謝老師在酷熱的暑假裏，還逐行逐句逐字地審閱，甚至連一個標點符號也不輕易放過。當然，我們可以說除此之外，如果不是謝老師予以各方面的指導和鼓勵的話，青青文集是不可能出版的。這的確使我們感激不盡，永遠銘記在心的。

現在小說創作和人間副刊藝術設計的名畫家沈鎧先生，在百忙中欣然地為我們設計封面和插畫；文源書局范守仁先生和黃祖修先生慨然應允為我們出版，這都是我們萬分感激的。在此特敬致誠摯的謝意。

青青文集的出版，是一種大膽的嘗試，對我們來說，『青青』是多麼地美啊！但，這究竟是我們的習作；缺點，是在所難免的。因此，我們懇切地期盼著文壇先進及愛好文藝的青年朋友們多多指正。

・民國五十六年光復節於師大一二〇八室

跳躍閃爍的陽光

·為《摘星的季節》作跋

編者：秦嶽　出版：小說創作社

1 序幕

時■三月九日十四時．周末的下午

地■峨眉街十七號．作家咖啡座

人■林秀燕．洪冬桂．胡德海．秦貴修．黃癸楠．嚴月粧．

三月，午後柔柔的陽光，在臺北街頭跳著輕快的舞步。舒適的，愉悅的。使人有一種振翼欲飛，與陽光齊步共舞的念頭。

捨棄這一片在街頭獨舞的醉人陽光，走進「作家」的窄門。「上樓」，更上一層樓的標誌引領著，我們登上了三樓。但我們不是為了欲窮千里目而來的，為什麼？因為：

六月五日，是一個彩色繽紛的日子。

六月五日，是一個閃閃發光的日子。

六月五日，是一個鏗鏘有聲的日子。

六月五日，是師範大學校慶的日子。

對了。一點也不錯。六月五日，這一個被高歌聲，朗笑聲，加油聲，喝采聲充溢著的一天，是多麼有力的震撼著我們的生命啊！

跑、跳，向前躍進。正象徵著青年人剛健的性格，結實的步伐，蓬勃的朝氣，充沛的活力，遠大的理想。這種種卓越的表現，不僅僅是在運動場上，甚且在全校師生的心靈深處，都激盪著向「止於至善」這完美而又崇高的境地奔馳的意念和決心。

來，就是為了慶祝二十二週年校慶佳日，策劃出版文藝專集，略盡些微棉力，表示一點慶賀之忱的。

於是，我們談著，笑著，沈思著，喝著最廉價的飲料。最後，在將近三十個擬就的書名中，先選出了五個，再投票表決一個。

這就是《跳躍的陽光》命名的緣由，對正在大學求學的學生來說，《跳躍的陽光》頗有玩索的韻味。

2 顧盼

時■任何時間
地■任何地點
人■秦貴修

去年的這段日子，在謝冰瑩老師的指導與鼓勵，同學們的合作與支助之下，正是籌劃出版《青青文集》的時候。其所以要出版這本集子，一方面是從五十六學年度起，新文藝習作這門課由選修改為必修，對新文藝有狂熱愛好的同學，這是一種莫大的激勵。另一方面，是想在大學裏面留下一鱗半爪，作個紀念。這本文集，原來只準備彙集二年級三個班的作品，後來把範圍擴大了些。但在《青青文集》出版的前前後後，有不少愛好文藝的同學們，提出了不少的寶貴意見。其中之一是：

「若能把徵稿的範圍擴及全校，內容不是會更充實一點嗎？」

沒有想到五十六學年度開始，由於我是噴泉詩社社長的關係，又被學術性社團的各位負責人公推為學藝委員會的主席。於是，這句話，不管是在任何時間，任何地點，都會強有力的鳴響在我的耳際。

這就是我深思熟慮，構想著出版一本全校性的文藝專集的醞釀時期。

3 準備

時■或早晨．或黃昏．或深夜．或課餘．或午睡
地■小說創作社．課外指導組．社團辦公室
人■秦貴修．黃癸楠

和黃癸楠一起到小說創作社去，是為了送小說創作的封面欣賞的稿子，還是做什麼的，我記不清了。

和社長談了一會兒，不知怎的，把話題談到出版專集的事。社長說我們一個是師大寫作分會的理事長，一個是學藝委員會主席，合力來辦這件事一定不會有問題。

就這樣，我們答應試試看，儘量向這方面去努力。

在回學校的路上，我們圍著這項重大的問題，商討著如何進行，如何推動。

回到學校的第一步，就是把這件事向課外指導組負責學術性社團業務輔導工作的鄭小傑老師提出報告，然後再請示課外指導組曹世昌主任。令人欣喜的是：他們都全力的支持與贊同。對我們來說，這是一種莫大的鼓勵。

為了使這件事能進行得更順利，更圓滿，我向謝冰瑩老師和邱燮友老師要求指導和支援。因為這是新文藝的創作專集，謝老師和邱老師分別在日間部和夜間部擔任該項課程，所

以，兩位老師都慨然應允賜以協助。

「貴修呀！做這事，要花費很多的時間和精力的，不要把功課荒廢了。」一有一次在教員休息室裏，謝老師把一疊厚厚的稿子遞給我之後，關切的對我說。經謝老師這一提醒，我突然覺得，的確是把功課荒廢的太多了。由於自己是噴泉詩社首任社長，又是學藝委員會主席，總要做點該做的事。因此，這些日子，為了辦「新詩朗誦」及「書法」這兩項比賽，也著實弄得焦頭爛額。於是，我也真該提高警覺，別把功課「當」掉了。

籌備中的繁瑣事務，不再贅述。

當一切決定好以後，就成立了該文集的編審委員，也就是三月九日第一次聚會，算是序幕。

序幕揭開了。我們分飾了不同的角色：

小說：洪冬桂．胡德海．黃癸楠三位同學負責。

散文：林秀燕．嚴月粧兩位同學負責。

新詩：秦貴修負責。

這是有關稿件審查的問題。緊接著：校園內張貼海報，印發徵稿辦法，送達全校各班，專設稿箱於公告欄最顯著的地方。另外，在青年節出版的《師大青年》及新二卷二期的《文苑》，都有《跳躍的陽光》的消息刊登。更令人欣喜的，那就是在《青年戰士報》先後也有兩次發表了有關《跳躍的陽光》的消息。無形中，對我們這幾位從事《跳躍的陽光》工作的同學，增添了更多的負擔和責任，也因此，使我們感到格外的惶恐。

4 更名

時■四月十一日下午七時
地■學生活動中心會議室
人■林秀燕．洪冬桂．胡德海．秦貴修．黃癸楠．嚴月粧

跳躍的陽光。跳躍的陽光。跳躍的陽光。

這是多美的名字啊！一個月，時間並不長，但在師大，只要是愛好搖搖筆桿的同學，或者是關心這件事的同學。一有機會碰面，有意無意的，總會提及《跳躍的陽光》。

可是，多麼巧合呀！女作家張漱菡的小說集，其中有一本就是《跳躍的陽光》。而且，更巧的是，也在小說創作社出版。

當我把那本已經出版的《跳躍的陽光》，擺在桌上時，編委們傳閱完畢，搖頭的搖頭，皺眉的皺眉，苦笑的苦笑，作出各種不同的表情，但那都代表著一種莫可奈何的狀貌。

怎麼辦呢？只有更名，方為上策。

於是，又把以前擬就的名字搬了出來，另外又想了一些。再在其中挑選出：

陽光組曲。噴泉季。摘星的季節。協奏曲。柵不住的陽光。這五個名字，投票表決。最後，全票通過以《摘星的季節》作為這本文藝專集華麗外表的標誌。

由白天到黑夜，由陽光到星星，這也代表了一段歷程。白與黑的變奏，陽光與星星的協調，剛與柔的組合。這也是一件挺耐人尋味的事啊！

5 尾聲

時■四月廿三日下午七時

地■學生活動中心會議室

人■林秀燕．洪冬桂．胡德海．秦貴修．黃癸楠．嚴月粧

摘星的季節。摘星的季節。摘星的季節。

真的就像一位少女，輕舉著纖纖的玉指，像摘鮮美的果子似的，摘著顆顆晶瑩的星粒，放在她們的裙兜裏一樣，使人沉醉。

書名改了，但一直沒有公開更正，主要是怕諸位同學弄得丈二金剛摸不著頭腦。

徵稿，預定四月二十日截止。可是，由於部份同學，稿未完成商請晚交數日，再者，謝老師和邱老師幫忙選的稿子，也未收齊，所以，陸陸續續直到五月十日，才算結束了這最後

一批稿子的搜集工作，送到了小說創作社。

因此《摘星的季節》這本書，在六月五日校慶這一天，已經不能呈現在各位同學面前，這是一件非常遺憾的事。但不管怎樣，這個學期結束前，摘星的季節，一定會送到作者的手裏。

小說創作社唐社長，本來願意多花點錢來做這件事，可是作者照片和小傳的資料齊全的很少，所以，也只得作罷。

有些稿件，因為不合《摘星的季節》的旨趣，只好忍痛割愛。

收集在這本書的每一首詩，每一束散文，每一篇小說，都各自塑造了一個天地，一個世界，也都分別展露著各種不同的面貌。這種種面貌不同的呈現，還是請高貴的讀者自己去體驗，去意會吧，我不想作不必要的鼓吹和介紹，這樣，也許可以能使高貴的讀者，能從種種不同面貌之中，得到一種真摯的感受，而不至於受編者主觀的導引，步上歧徑和彎路。

謝冰瑩老師，行程匆匆，在即將赴美的前夕，仍對《摘星的季節》作各方面剴切的指示；另外，邱燮友老師和課外指導組曹世昌主任，鄭小傑老師等，給予我們的指導和鼓勵；以及編委們不眠不休，任勞任怨，協助工作的推行及審查稿件等。這一切，都是令我終生難忘，銘記在心的，在此，謹致以最誠摯的謝意。

・民國五十七年六月於師大一二〇八室

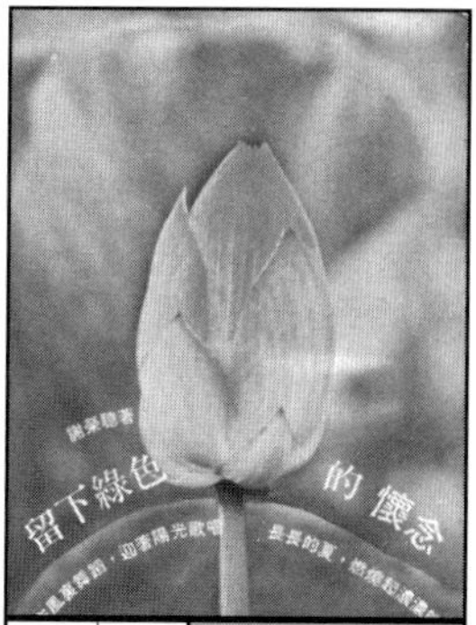

青澀的寫作歷程

・序謝榮聰的《留下綠色的懷念》

出版：普天出版社

《留下綠色的懷念》是青年作家謝榮聰的第一本集子。

作者結集出書的原動力是：

❶好友鼓勵。

❷弟弟詰問。

❸獻禮祝壽。

從這三大動力來看，作者不僅是一位力爭上游、酷愛寫作的青年，更是一位具有中華民族傳統美德「以孝為先、以孝為本」的典型青年。

在西風東漸，人心不古，孝道日趨澆薄的今日社會裡，僅憑這些就足以使人歡欣鼓舞、拍手喝采的了。

附錄的「暑期工讀生經驗談」不論，在九篇作品中，〈愛的迷惑〉是描寫軍營中生活的片段。〈抉擇〉則是刻劃青年就業、戀愛及擇偶等問題。除了這兩篇之外，其他七篇作品的主要內容，都是學生生活多重層面的呈現。從這些細膩的描述中，可使讀者瞭解到學生在學習的生活領域中許多真實的面貌。

〈迎接晨曦〉提出了聯考選擇、就學志趣、學生舞會、關心國事等問題。〈浪子回頭〉裡王健如的成績始優而後轉劣，由模範生誤入歧途，終能醒悟回頭。

〈回顧與希望〉寫錢大中考試投機舞弊而使得助其一臂之力的施員圓飽受委屈遭到記過處分。最後，施員圓、錢大中考取大學，但因施員圓家遭變故，辦了休學，擬於明年投考警官學校，而錢大中因參予聚賭，遭警羈押。〈難忘的一學期〉描述平常上課的點點滴滴，以及因服裝儀容受檢的不理想和週會表現懶散而受到處罰的事。另外也刻劃了假期工讀甘苦的滋味來賺取學費之舉。〈叫她如何不想〉和〈夕陽下的期待〉兩篇，都是敘述學生初嚐痛苦多於喜悅的戀愛滋味的情景。

而留下綠色的懷念該文的故事大要如下：

從三十三頁至四十六頁是描寫補習班的形形色色。

從四十七頁至五十六頁是記敘謝鴻與離開補習班坐火車在彰化車站下車後巧遇小學同班同學林麗立的談話片段。

從五十七頁至七十五頁是對聯考前、聯考時、聯考後的瑣瑣碎碎的描寫。

從七十六頁至八十一頁是參加大專聯考後參加軍校聯招，待先後放榜後入營受訓的情形。

小說創作，必須透過藝術的手法，描繪人物在心理和感情上隱幽微妙的變化。經由精巧的佈局、嚴密的結構、妥貼的刻劃、適當的剪裁、刻意的經營，以呈現人類在某一空間、某一時間，完整而富有意義的生活情境中片段的感受。

劉勰所謂「搜句忌於顛倒，裁章貴於順序」是值得提筆為文的人多去深思細心揣摩的。不過，以作者二十出頭的年齡，對文字詞彙的駕馭、各種問題的提出，生活層面的挖掘，這已經是難能可貴，值得欣慰的了。

文章千古事，得失寸心知。從事創作的人，缺失是難以避免的。只有跨過青澀，才能茁長甘美。作者假如能不以我的責切之言為忤的話，實在是一大幸運！

．民國六十八年八月於台中明道文藝社

宋真宗勸學篇妙語錄

富家不用買良田
安居不用架高樓
娶妻莫恨無良媒
出門莫恨無人隨
男兒欲遂平生志

書中自有千鍾粟
書中自有黃金屋
書中有女顏如玉
書中車馬多如簇
五經勤向窗前讀

為你點一盞明燈

・序王鼎鈞等的《名家創作經驗》

編者：秦嶽　出版：業強出版社

只要是學生，每當看到命題作文，幾乎沒有不閉目冥想，握管凝神，焦思苦慮，搜斷枯腸，撫額皺眉，搔首深思的。儘管如此，依然是：望題興嘆，一籌莫展，不知如何下筆。尤其是坐在如針氈似的考場上，眼看著時間滴滴答答的飛駛而去，繳卷時限逐漸逼近，只好頭一硬，心一橫，信筆塗鴉，草率從命，交差了事。是好是壞，就只有聽從評分的師長去論斷了。這豈不正如元遺山所說：「文章出苦心，誰以苦心為？正有苦心人，舉世幾人知？」

二十多年來，面對著學生們提筆為文的這種情景，縈繞在心，印象深刻。

自應邀從第二十期接編《中市青年》開始到現在，在成堆的稿件中，細加整理，一一過目；擲地有聲，內容扎實，情文並茂的作品的確不少；但金玉其外，敗絮其中，言之無物的作品也所在多是。

從執教兼編輯累積而來的經驗中，仔細思索之後，發現青少年在寫作上所遭遇到的難題，概言之不外是：

情感豐富，但思路狹窄，拙於表達。

遣詞造句，僅通順平實，藻飾不工。

題材揀選，只訴諸耳目，深度不足。

換句話說，也就是青少年朋友都具有創作的熱情和衝勁，但卻不懂得創作的方法和技巧。《隨園詩話》就明白的說：「學人每過信黃公度『我手寫吾口』一時快意大言，不省手指有巧拙習不習之殊，口齒有敏鈍調不調之別，非信手寫便能詞達，信口說便能意宣也。」這不是正足以說明創作者所面對的困境！

基於此一體認，決定在《中市青年》增闢「我的創作經驗」專欄，力邀創作有成的作家們，提供他們在創作歷程中的寶貴經驗，使愛好寫作的青少年朋友能從其中體悟出一些道理，吸取一些方法，掇拾一些技巧，整理出一些章法，作為寫作時的明鏡，映照出一條正確而坦直的途徑。避免在寫作時誤入歧途，耗時傷神，徒增摸索之苦。

從《中市青年》第二十一期推出「我的創作經驗」，到八十六期，從未間斷的刊了六十六位作家的作品。今先試著集十五篇作品成為一書，其中有理論的闡釋，技巧的縷陳，方法的提出，經驗的表白；或談新詩，或談散文，都是最切合有志於寫作的青少年朋友的參考佐證，遵循方針。

相傳唐宋八大家之一的歐陽修，每完成一篇文章，就貼在牆上，改了又改，到改成定稿時，常常不存原文一字。古人所謂「百鍊成字，千鍊成句」是有其至理的。我們雖不必像古人那樣「吟成一個字，撚斷數莖鬚」，但卻不能不知道「詞源斷自詩書力，句法端從履踐來」的道理。

有人以為「研究文學者，往往始之以欣賞，繼之以摹倣，而終之以創作」，你以為呢？這是一盞燈，燈光雖微弱，但足以使你在寫作的途中，得到明確的指引。這是一盞燈，燈光雖微弱，但足以使你在寫作的途中，享受無盡的溫馨。

少年情懷總是詩，在這充滿著詩樣年華的青少年朋友們，願你們喜歡這一本書，並能細加品味，然後提起你的彩筆，描繪出一片屬於你自己的亮麗的天空。

・民國八十二年六月發表於《中市青年》九十期

鄭板橋妙語錄

讀書求精不求多，
非不多也；
唯精乃能運多，
徒多徒爛耳！

九歌之旅

劉建化/著

情到深處無怨悔

·序劉建化的《九歌之旅》

出版：雅典出版社

對詩友劉建化，我所瞭解的；也僅僅知道他是山東老鄉，官拜上校，嗜詩如命，編過詩刊，出過詩集，若論年紀，坐六望七，如此而已。

俗謂「百年修得同船渡」，今年九月十一日，隨中國詩歌藝術學會諸君子前往大陸訪問，直到十月十日訪問歸來。在這整整一個月的時日裡，座談參觀，朝夕相處，生活起居，形影相隨，除了真正達到了「詩藝交流」的目的外，也因之使我對劉君有了較深一層的認識，劉君見多識廣，思想敏銳，坦率大方，談吐風趣，情感豐富，待人真誠，握管創作，快捷準確。詩友們戲稱他是詩壇「快槍手」，一點也不為過。

這種戲稱，絕非無的放矢。在訪問期間，當日所見所聞，心感身受，無論是人，是物，是山水，是風景，都會激起他詩興大發，詩心蠢動。是以冥想沈思，詩意在胸，提筆急書，夜半成詩。翌日活動開始，或在餐桌，或在車上，或在座談會場，或在登山途中，必定會有劉君的新作在詩友手中傳閱。每逢此時，都令我欣羨不已，自嘆弗如。

對詩友劉建化，真的可以說：「幾日不相見，作詩盈一囊。」這種說法，一點也不誇張。日前在台北「秀苑」聚會，劉君告知，歸來月餘已完成了百餘首詩作，相形之下，慢工也榨不出細活的我，真的是羞愧汗顏，無地自容。

劉君從百餘首創作中選出八十四首，名為《九歌之旅》結集出版，囑我贅言幾句。《九歌之旅》收有八十四首詩作，分詩情交流、名勝遊記、人物畫像三輯。

人物畫像一輯中，劉君為二十四位男詩人十六位女詩人，以詩所畫的像，其所憑藉的大都是因一面之緣，或讀了一首詩作，這又是劉君過人之處。不僅如此，即使是在第一輯及第二輯中也分別以詩贈給三十位男士，四位女士和二對夫婦，共三十八人。另在第二輯中作者沒有標明是贈予何人的，但知情如我者卻是瞭如指掌，在這裡賣個關子。據我粗略的統計，八十四首詩中，有七十四首，或為贈詩，或為畫像，而雷同的句子，少之又少，這又是劉君過人之處。

《九歌之旅》另一個特色，是每首詩皆有後記，雖然繁簡不一，但從後記中可以瞭解詩意之外，也無異是《九歌行》訪問活動的一種實錄，一種記事。

讀者諸君，細心品賞，必有身歷其境之感，吾不贅言，謹在詩友建化詩集《九歌之旅》出版之際，敬申祝賀之忱！

・民國八十五年二月詩人劉建化詩集《九歌之旅》序

詩是莊嚴的存在

·序海鷗四十週年詩選《飛翔的天空》

編者：秦嶽　出版：文學街出版社

1

詩，是一種存在。
　一種莊嚴而神聖存在。
不同於浮華的外表，不同於霓虹的流蘇。
不同於流行的服飾，不同於頭髮的形色。
詩，是精神生活的投影，是心靈世界的呈現。
詩，是人類智慧的結晶，是文學天地的精華。
詩是明月，光照寰宇。
詩是清溪，潤澤大地。

詩的天空，遼闊無際，任我展翅翱翔。
詩的光芒，璀燦無邊，罩我遍體舒暢。

2

置身在冰冷的鋼鐵都市，浸漬在商業行為濃厚的囿境，人人物慾高漲，事事急功近利。由是，當今都市生活滋生著貪婪、爭鬥、冷漠、疏離、焦慮、猜忌等種種弊病，如雨後春筍，迅速勃興；昔日田園生活中固有的知足、淳樸、和諧、關愛、敦厚、安祥、誠信等種種美德，如夕陽西沉，奄奄衰微。

論語述而篇中有云：「子以四教：文、行、忠、信。」其中「文」就是指文化教養。詩大序中云：「詩者，志之所至也。在心為志，發言為詩。情動於中而形於言……。情發於聲，聲成又謂之音。治世之音，安以樂，其政和……。故正得失，動天地，感鬼神，莫近於詩。先王以是經夫婦，成孝敬，厚人倫，美教化，移風俗……。」

職是之故，意欲挽救人類社會走向寬廣而又平坦的大道。只有殫思竭慮，念茲在茲的全力推展文化建設工作，發皇詩的教化功能，始能導正今日社會的頹風。

《滄浪詩話》曰：「夫詩有別材，非關書也；詩有別趣，非關理也。而古人未嘗不讀書，不窮理，所謂不涉理路，不落言鑒者，上也。詩者，吟詠情性也。盛唐詩人，惟在興趣；羚羊掛角，無跡可求，故其妙處，瑩徹玲瓏，不可湊泊；如空中之音，相中之色，水中之月，鏡中之象，言有盡而意無窮。」

中國古代即倡言「詩言志」，「詩緣情」的說法。時至今日，從事詩創作者，即使是生活的形態與往昔迥異其趣，有了更深、更遠、更廣、更大的變化，但仍然無法跳脫此一範疇，只是表達的方式不同罷了。

張潮在《幽夢影》中云：

「貌有醜而可觀者，有雖不醜而不足觀者；文有不通而可愛者，有雖通而極可厭者。」

詩，何嘗不是。

《古詩錄》自序云：「詩道之尊，由於情深文明，言近旨遠。」

收錄在《飛翔的天空》詩選中作者的作品，各有各的用字偏好，各有各的遣詞功力，各有各的取材路向，各有各的形象攝取，各有各的表達方式，各有各的內容意涵，各有各的意境營造，各有各的獨特風貌。正所謂：詩如其人，人如其面，面貌迥異，異中有同。在作品的呈現上，有的在平實的詞語中，充滿哲理；有的在淺顯的文句中，寓有深意；有的在段落間歇處，馳騁想像；有的在整首詩篇中，富有妙趣。不管如何的表現，皆能使讀者悠然神往，產生一種超越的現實幽情，擺脫塵俗的逸致。飄飄然，如置身人間仙境，御風而行，遨遊在蔚藍的青空，不染俗世一絲塵埃。

正如名家錢鍾書所說：

「任何景物，橫側看皆五光十色；任何情懷，反復說皆千頭萬緒；非筆墨所能詳盡。」誠然，我們所能表達的，在這森羅萬象，浩若煙海的大千世界，也只是一角而已。

「悠悠的過去祇是一片漆黑的天空，我們所以還能認識出來這漆黑的天空者，全賴思想家和藝術家所散佈的幾點星光。朋友，讓我們珍重這點星光！讓我們也努力散佈幾點星光去照耀和那過去一般漆黑的未來。」

美學家朱光潛的這種殷切希望，也正是海鷗群從事創作的最佳方針。

4

「海鷗」早期依附於報紙副刊，到獨立發行詩頁，詩刊，這其間，斷斷續續，波波折折，一路走來，到如今也已超過四十個年頭，真的可以說是「昨日少年今白頭」了。

「海鷗四十年，我們到花蓮聚聚吧！」陳錦標在花蓮打電話給我。

這位尚在花蓮高中就讀的少年郎，雄心勃勃的高舉詩的旗幟，結合了當地一群志同道合的朋友，結隊翱翔在花蓮濱海的藍空。經過四十年漫長的歲月，理當聚聚、聊聊。然而，海鷗翱翔了四十年，總該在蔚藍的天空留下一絲半片的彩雲刻痕罷。瞬間的構想在腦中閃過：「那就出本詩選吧！」徵得錦標的同意，就分別以電話轉告海鷗群，大家也十分贊同，樂觀其成。

由於時間倉促，海鷗四十年詩選，無法像其他各詩社出版的詩選一樣，廣納眾家詩作，僅就或多或少曾經和「海鷗」結緣而有所關連且連絡上的詩人提供作品。可惜的是，像詩人楊牧、陳東陽以及其他在花蓮的海鷗伙伴，托錦標連絡未能如願，誠屬憾事。像舒蘭遠在美國，我就從手邊藏有他的作品中選了幾首，未經他同意，他也不見得會滿意，但那也是莫可奈何的事。

詩選的編排順序是：楚卿、林玲二人列為本卷之首。其餘詩人作品，皆以年齡為序。

楚卿先生，亦師亦友，對海鷗玉成之功，導引之力，至為可敬。林玲女士，對海鷗竭智盡力，兼理財政，精神可佩。基於「死者為大」的理念，為了對早逝者的感懷與追念，是以排在卷首。

由於我在文學街出版社工作之便，編輯工作就落在我的肩上。又因大家散居各地，寄來寄去，曠日廢時，校對工作，除路衛、馬驄二位親校外，餘皆為我一人承擔。由一己棉薄之力，做如此繁複的編校工作。又因詩選籌畫時日短促，且最後收到稿件已是三月五日，在如此的窘況下，欲求完美，幾乎是不可能的事。因此錯漏疏誤之處，勢所難免。尚請海鷗群海涵，讀者們指正了。

最後，願以放翁的《夜吟》一詩與寫詩和愛詩的朋友互勉之。

六十餘年妄學詩，工夫深處獨心知；
夜來一笑寒燈下，始是金丹換骨時。

．民國八十七年四月發表於《海鷗詩刊》十三期

新詩的星光閃爍

‧序一九九八年版《中國詩歌選》

出版：詩藝文出版社

1

中華民族是一個淵源流長，文化深厚的民族。

在文化演進和發展的過程中，因有源頭活水，所以能綿延不絕。是以孔子「祖述堯舜，憲章文武」，善述善繼我先聖先賢深蘊厚蓄的文化傳統，為中華民族開創了文化發展的坦途。

今日科技，一日千里，瞬息萬變。在高度而又快速文明的衝擊下，我們的文化已隨著時代的洪流，逐漸的趨向於都市化、商業化、物慾化與功利化的狹隘仄徑。一切以經濟掛帥為導向的衝擊下，人人馬不停蹄，夜以繼日，彷若陀螺似的。於是，在暈眩的頭腦中，汲汲營營所追求的生活就是物質享受，所競逐的方向就是累積財富，所追尋的理想就是感官安樂。

這豈不正如司馬遷所云：「天下熙熙，皆為利來；天下攘攘，皆為利往。」科技昌明，經濟發達，生活富裕，錢淹腳目，迫使自然世界日益萎縮，精神領域日益狹窄，心靈天地日益荒蕪。致使人們，耳目欲極聲色之好，口腹欲窮芻豢之味，四肢欲盡逸樂之境。利之所趨，妄顧義理，形役於物，寧不可悲！

論語述而篇有云：「子以四教：文、行、忠、信。」其中列入四教之首的「文」就是指文化教養，其內容包括「詩、書、禮、樂」。

詩主情，可以興發情志，以理情性；書記事，可以鑒古證今，以言行南針；禮別異，可以矩度儀範，以謹節為仁；樂合同，可以怡情樂群，以化成天下。

在論語泰伯篇中，孔子曾說「興於詩，立於禮，成於樂」的話。詩，感人最深，可以鼓舞人的意志，故曰「興於詩」。一個人的視聽言動都能循禮而行，始足以立足社會，故曰「立於禮」。音樂可涵養人的性情，歸之於正，自然品格高尚，成一完人，故曰「成於樂」。孔子倡導以詩、書、禮、樂來教化人，實在是具有文化教養的深厚意義。

2

中國新體詩的發軔是在一九一七年劉復發表「我之文學改良觀」與「詩與小說精神上之革新」，主張「創造新韻，增多詩體，增加無韻詩體」等。到了一九一九年五四運動，可以說是新文學運動的起點。胡適力主打破格律的桎梏，崇尚自由的詩體。理論、創作，雙管齊下，出版了第一本中國的白話詩集《嘗試集》。

最早的新詩發表在《新青年》雜誌四卷一號，其後，經過了創造社的郭沫若，新月社的聞一多、徐志摩，象徵派的李金髮，現代派的戴望舒，以及各個流派諸多詩人的推波助瀾之下，於是形成一種不可阻擋的風潮。但不可諱言，新詩在草創時期，處於對舊的破壞，對新的嘗試，企圖去探討新的理論，建立新的詩體，又因不少人受到西方文化思潮的浸潤，不得不援引英美格律詩派及法國象徵詩派。所以此一時期詩人的作品，有的仍殘留舊詩詞的痕跡，有的則顯露西方詩作風格的影子。

在台灣，從《新詩週刊》在自立晚報於一九五一年出刊，揭開了新詩的序幕，繼之由詩人紀弦主編《現代詩》，復成立「現代派」肇其端，緊接著各個詩社的先後成立，為台灣的詩壇激起一股股澎湃的浪潮。

數十年來的台灣詩壇，實在是不很平靜，各大詩社紛紛揭示各種思潮，各種主張，各種流派，各種主義，各種形式，各種風格，競相雜陳，互別苗頭，鬧鬧鬨鬨，此起彼落，也自有一番繁華景象。

3

置身在廣大無邊的宇宙間，任何思想觀念，事物認知，民風習俗，都會受到衝擊。激發著人們不斷的去吸取，去接受，去調整，以適應時代的潮流。尤其在科技昌明，傳播資訊發達的今天，外來文化，洪流似的激盪著我們，橫的移植，勢所難免。中國的詩歌，溯自最早的詩經、楚辭、樂府，過渡到唐詩、宋詞、元曲，積聚了豐厚的文化資產，原本就具有優良的血統與族性，所以，也必須回歸傳統作縱的繼承。當然，無論縱的繼承或橫的移植，都必須取其精華，去其糟粕，吸收養分，滋育並茁壯詩的生命。

在所有文化資產中，詩的流傳最廣，影響最深。因為詩，是精神生活的投影，是心靈世界的呈現，是人類智慧的結晶，是文學天地的精華。值此人人物慾高漲，事事急功近利，社會亂象如春草般叢生之際，《中國詩歌選》的出版，就是期望為社會注入一股清流，發揚詩歌「溫柔敦厚」的教化作用，來充實生活，美化心靈，扭轉社會日益趨向物化的頹風。

4

為了《中國詩歌選》，我們這一群不知老之已至熱愛繆斯的同好，如月之恆，如日之升，日思夜夢，念茲在茲。我們之所以栖栖皇皇，無怨無悔，既不是老蠶作繭，僅為餬口維生；也不是追名逐利，想要揚己顯親；而是迫切的渴望在有生之年，略獻棉薄，為社會盡一點涓埃之功，期望獲致不言而教，潛移默化的效果，這是我們的理想，也是我們的執著。

在詩的百花園中，奇花異草，各展風姿，各含芳菲。活色生香，沁人心脾，繽紛奪目，蔚為奇觀。然而，我們所能採集所能展示的，只是園中的概略風貌。縱然是虛靈燭照，尋尋覓覓，也實難涓滴不漏，包羅無遺。但不管如何，從《中國詩歌選》的作品中，也足以見微知著，推本溯源了。

「悠悠的過去祇是一片漆黑的天空，我們所以還能認識出來這漆黑的天空者，全賴思想家和藝術家所散佈的幾點星光。朋友，讓我們珍重這幾點星光！讓我們也散佈幾點星光去照耀和那過去一般漆黑的未來。」

美學家朱光潛先生的期望，也正是我們努力的方向。

・民國八十七年八月發表於《葡萄園》一三九期

顧炎武妙語錄

讀書是艱苦的勞動，
讀書的大敵是懶惰。
要想克服惰性，
一要樹立正確的學習目的，
二要培養讀書的毅力。

長歌短詠送相酬

·為劉建化的《詩瀾東洄》作跋

出版：文學街出版社

建化詩兄將「中國詩歌藝術學會」所舉辦的「兩岸詩刊學術研討會」兩天會議的盛況及四天參訪旅遊的全程經過作為主幹，以新詩的形式，創作了四十六首詩作。雖非史詩，但卻以詩紀事，為「兩岸詩刊學術研討會」留下不可磨滅的痕跡。另外，作者又從昔日的作品中挑選出三十九首詩作，都為一集，名為《詩瀾東洄》，委由文學街出版社印行，我當然樂於效命，略盡棉薄。

《詩瀾東洄》書前有二位名家的序，但建化詩兄在目錄中預列有我寫跋的字樣，並再三囑咐我務必要說幾句。雖有畫蛇添足之嫌，但是，一則不願辜負建化詩兄的美意，再者能在《詩瀾東洄》詩集中露露臉，沾些光采，何樂而不為！

我戲稱建化詩兄為詩壇之快槍手，一點也不誇張，其詩思之敏銳，詩筆之快捷，情感之豐富，創作之勤奮，詩壇諸君子尚少出其右者。我們只要看《詩瀾東洄》書後之附錄，其詩集已出版者十四本，與人合集出版者四本，有待出版者四十本，另外還有詩人雕像第一十五集。從附錄裡的作品目錄中，即可得到強有力的明證。

清・嘉慶年間，錢塘袁枚在《詩學全書》卷三中將詩題分為四大部門，「往來」即其中之一。

「往來」詩題分為賀・訪・逢・贈・別・思・送・寄・酬・過・嘲・宴會・哭輓・聯句等等。

贈題。或讚美其人，或規勸其人，或寫昔日之情意，或望後日之提攜，須切實不泛。

相逢之題。有逢舊識，有逢新知。逢舊，則寫舊日相交之情；逢新，則寫倉促相遇之喜。或敘其人，或自敘。

留別之題，須寫不忍別之意。或依依其人，或戀戀其地，或敘聚日歡情，或記別時風景，或傷去後之遙，或悲再會之杳。

《詩瀾東洄》詩集中，第二輯三十五首詩作全屬贈詩，第一輯二十五首詩作中有十九首屬於贈詩。在這些贈詩中，全為讚美或情意的抒發，沒有規勸或望提攜之意圖。

《詩瀾東洄》除了相逢，留別的作品外，其他就是寫景和詠懷了。

飢即餐霞樂即行

一聲長嘯萬山青

建化詩兄的《詩瀾東洄》即將付梓，補綴數語略表賀忱，是之為跋。

·民國八十八年二月十五日於台中文學街

黃庭堅妙語錄

三日不讀書，則義理不交於胸，對鏡覺面目可憎，言語無味。

筆耕生涯樂無窮

・序李榮炎的《如坐春風》

出版：文學街出版社

榮植文苑筆成花，
炎發芳草碧連天；
如坐春風心神爽，
仙人福樂壽永年。

榮炎先生的第八本文集《如坐春風》趕在他八十壽誕的良辰吉日出版，是深具意義的。《如坐春風》一書分為四輯，收錄了作者七十篇散文創作，新詩一首及以〈千禧八十懷親恩〉為題的後記一篇。本書的作品除了少數幾篇是新作未曾發表外，大部份作品都分別在聯合、中央、青年、台灣等日報及榮光週刊，古今藝文，聖然季刊和地方人等雜誌發表過。更難能可貴的是其中有不少篇章是得獎和徵文入選的作品。《如坐春風》的每一篇作品，都是作者身邊的瑣事，生活的體悟，觀察的所得，以平實的文字，流暢的詞彙，真摯的感情，在字裡行間一一流露，一一呈現，令人品評玩味，不忍釋手。

〈話說從前〉是作者生命成長歷程中對往事的追述。〈旅痕屐影〉顧名思義即知是作者旅遊各地所見景觀的描寫及抒懷，其中除有一篇寫金門，六篇寫大陸之外，餘皆是寶島紀遊的篇章。〈生活素描〉則是生活中點點滴滴的親身感受，溫馨動人的篇章。「附錄」部分有令媳新華的〈椿樹千尋碧〉及令孫女立蘭的〈老家〉祝壽文，另有兩篇介紹榮炎所著《莫讓流光虛度》的專文。

曾有某電台主持人說：「一字頭出生的人命最苦，五、六、七字頭出生的人最幸福。」民國十年出生於廣東信宜的李榮炎先生，當然也不可能不受戰禍離亂的波及。作者在〈攜手同心邁步向前〉一文中說：

我讀書時，學業成績大都名列前茅，高小畢業後以最高名次考上初中，可是家庭貧困難以支持，讀不到半個學期便行輟學……。

抗戰時，各縣奉令普遍成立農業學校，我適逢其會，就是讀新成立的初農，高農畢業的。

抗戰時期，政府以「一寸山河一寸血，十萬青年十萬軍」號召知識青年從軍……我亦加入了國軍行列，親身參與抗日的聖戰。

像那個時代所有的年輕人一樣，生逢亂世，戰火頻仍，轉戰南北，飄泊西東，無法循序漸進接受正規教育。作者三十九年五月隨軍來台，同年九月考進政幹班第一期。作者入伍從軍，由上等兵幹起，逐級遞升至中校。這期間作者通過了政府舉辦的教育行政特考，所以，作者離開部隊，即於六十年二月進入中興大學任職，由最初的臨時人員而至簡任編審，服務興大十八年而再次退休。

王怡之先生說：「生活猶如泉源，文章猶如溪水，泉源豐盈而不枯竭，溪水自然活潑潑的流個不停。所以，文章應是生活的反映。寫文章的人寫他自己生活經驗以內的東西，才容易有好作品。」《如坐春風》中的作品，都是作者在生活中對週遭的人、事、景、物、目有所見，心有所感而執筆為文的，所以作品是瑣瑣碎碎生活點滴，皆令人讀後感到無限的溫馨。

例如作者在〈戒煙經驗談〉一文中說：

> 年逾七十，抽煙超過半個世紀，早前每興戒煙想法，總以年紀已老大，平生只有此一嗜好，何必強為所難而原諒自己。

試問，多少癮君子不都是以此為藉口而原諒了自己，但作者卻有決心和毅力戒掉了抽煙的惡習。不僅如此，作者從退休後，更了悟到活到老學到老的真義，使得生活不至呆滯，便到長青學苑學拉胡琴。作者在〈另一片天空〉一文中說：

習琴固然困難，但遵師教導，努力不懈，亦會日有進境。學苑離我家十五公里，是班中最遠的一位，風雨無阻，課業無輟，奉頒過多次全勤獎狀。

俗謂「百日笛子千日簫，要學胡琴彎了腰。」作者習琴十年，不僅沒有彎了腰，而且琴藝精進，情趣盎然，真令人羨慕不已。

文學的目的，就在於作者將一切日常生活瑣事之美，經過心靈光輝的照耀藉由語言和文學間接的呈現出來。所以，《如坐春風》，能引起讀者的共鳴。

榮炎先生八十壽誕，出版《如坐春風》專書，囑我為序，為序不敢，謹陳讀後雜感，以應雅命。欣逢榮炎先生壽辰，敬頌先生

立言治家　弘道修身

己立立人　齒德俱尊

・民國八十九年三月二十九日於台中文學街

九二一的啟示祿

‧序台客的《見震九二一》

出版：文學街出版社

九二一大地震，山崩地裂、房倒屋塌，多少寶貴的生命，傷亡；多少甜蜜的家庭，破碎；多少珍貴的財物，毀壞；多少美麗的房舍，震垮。於是，呼天、搶地、哀嚎、低泣，人們淚眼相望，徒呼奈何，這世紀末的大災難，給人們帶來的傷痛是多麼的深沉而強烈。這突如其來的災難，使得青翠的大地被震得體無完膚，平坦的道路被震得柔腸寸斷，蔥鬱的山嶺被震得土石奔流，綠野的良田被震得面目全非，一霎時，人們出生入死，生命危如纍卵，陷入困境。

為政者在驚嚇過度稍為清醒之際，初則，搔首摸耳，手忙腳亂，千頭萬緒，不知所措；繼之，急於救災，步調紛亂，缺少經驗，朝令夕改；稍後，繪製藍圖，救災重建，相互扶持，再造家園；猶賴國軍官兵、民間團體、國際友人，紛紛投入救災行列，有錢出錢，有力出力，慷慨解囊，相互扶持，災民在傷痛之餘，也感受到人間的溫情撫慰。

九二一大地震，無疑是世紀末的大浩劫，目睹災區同胞傷亡與人倫的悲劇，讓國人深感哀傷與悲慟，並在國人的心靈上，刻下難以磨滅的傷痕。

九二一大地震，造成難以估算的生命財產的損失，災後家園重建的工作，漫長而艱辛，但假以時日，總能從震災的陰影中走向光明的未來。然而，災民心靈的創傷，卻不是短時間能夠痊癒的。是以，心理學家、咨詢專家、宗教家、音樂家、畫家、歌手、藝人，紛紛走向災區，為災民的心靈療傷止痛，略盡棉薄。詩人台客也不例外，在繁忙的工作之餘，遠從鶯歌五度前往災區，將所見所聞的悲慘景象，以詩，以文和攝影，一一的形諸筆端，攝入鏡頭，為震後的災難，留下最鮮明最真實的見證。

台客在〈難忘九二一〉的代序中說。

或許是出於詩人的敏感與職責吧！自從九二一大地震發生後，整整一個月時間，我的心情就一直陷在大地震的泥淖中，無法平復。每天除了例行的上班工作外，其餘的時間，我唯一能做、想做的事就是……實地前往災區勘災憑弔，我也身不由己，義不容辭地拿起我的筆，以最熟悉的詩的手法，將每天所發生的喜、怒、哀、樂一一紀錄下來，短短不到三十天，我竟寫出了五十首詩作。

詩人台客深入災區，目睹災民慘狀，感同身受，以悲天憫人的情懷，完成了五十首詩作，閱讀之後，詩作內容，概略分為：

❶**災情描繪**——如〈震殤〉、〈大地長出了痘痘〉、〈中秋月圓〉、〈街頭千層派〉、〈月老問天〉、〈遙望九九峰〉、〈破碎的蓮花〉等十餘首。

❷**人物刻劃**——如〈奇蹟〉：寫台北東星大樓孫氏兄弟獲救情形。〈飛鷹折翼〉：寫飛鷹登山隊一行十四人罹難事件。〈重量〉：寫東星大樓倒塌後挖出兩具屍體，先生猶以身體護衛著妻子，大有天塌下來由我頂著的淒美情景。其他如〈卑微的願望〉、〈缺損的左腳掌〉、〈沈默寡言的孤兒〉、〈活著真好〉及〈地震寶寶〉等，皆有人物所指。

❸**記述救災**——如〈致地鼠〉記墨西哥地鼠救災。〈大旱的雲霓〉記空軍海鷗直升機深入災區救災。〈致慈濟〉記慈濟功德會率先救災情形。〈來自世界的溫暖〉綜合記述二十餘國伸出援手，派遣救災隊伍來台救災的義舉。

❹**彰顯人性**——當人類遭逢大劫難時，也就是彰顯人性最佳的試金石和透視鏡。此次九二一大地震也可說是世紀末的大劫難，當此之際，人性善良的一面及醜惡的一面也都一一彰顯出來，無所遁形。如〈螞蝗〉一詩，痛責不肖商人哄抬物價，囤積商品，劫掠救濟物品等。〈火場孤雛的心願〉追述十一年前在員林華成市場遭回祿之災，許氏一家五口葬身火窟，僅有十二歲的許汝君倖免於難，頓成孤兒。震災發生後，他將各界當年捐助他的一六〇餘萬元悉數捐出，救助災民。

❺**災後省思**——如〈收驚〉、〈有感〉、〈搶救古蹟〉和〈空空的校園〉等詩作，都是

發人深省之作。

詩人台客，用心良苦，震災之後，藉詩文為見證，讀後十分感動，概略分之，不知詩人台客以為然否？

詩人台客，囑我為序，在目錄上早已擬定並預留空間，為序不敢，僅將個人閱讀後管窺之見，一得之愚，稍作陳述，尚請作者及專家教正。

・民國八十九年三月發表於《葡萄園》一四五期

山水浩歌山水情

・序張建岳的《山水情懷》

出版：文學街出版社

《山水情懷》是建岳兄的最新力作，也是作者縱情山水，觀賞勝景，擁抱自然，遊目騁懷之餘，目有所見、耳有所聞、情有所感、心有所悟的遊記篇章。如今，將這些旅遊之後陸陸續續所寫就的篇章，彙集成冊，付梓問世，實在可喜！

讀者對書中所記美景，沒有去過的，可以因之一新耳目，如臨其境；去過的，更可藉此喚醒回憶，重溫舊夢。不管是有沒有去過，相信從書中都能獲得更深一層的認知和體悟。

《山水情懷》一書厚達四百頁，全書分為：輯壹，我愛台灣篇，輯貳，故國情牽篇，輯參，國外觀光篇，輯肆，山中傳奇篇，輯伍，山水附錄篇。

匯集了二十一篇遊記作品的《山水情懷》，以最純樸的文句，最自然的章法，最平實的風格，最真摯的感情，透過紙筆，形之於文，篇篇精彩，值得細讀。整本書概括的說：感受深刻、筆觸細膩，記述詳盡，刻劃入微。

譬如，我在花蓮，居住達十年之久，朋友來訪，定會到太魯閣一遊，我也曾在金門前線，戍守半年之久，但是，對這些地方，見聞寡陋，所知不多，看過建岳兄描繪這兩個地方景物的作品，顯現出自己未能善加把握，一窺堂奧，頗有夏蟲不可語冰的感受。

其他名山秀水，各具奇景的勝地，如山水甲天下的桂林，東方名珠的香港，奇異大地，處處驚奇的紐西蘭，都曾經留有我的足跡。然而，在印象中，也只不過是好山好水好風景罷了，未若建岳兄遊覽之餘，尚能「以文繪景，以景寄情。」真正是令人折服，但願建岳兄能夠達到如福州南門外古茶亭上聯所云：「山好好，水好好，開門一笑無煩惱。」以及山東天門閣聯中所云：「山登絕頂我為峰」的境界。鄭板橋有詩云：

身在千山頂上頭，突巖深縫妙香稠；
非無腳下浮雲鬧，來不相知去不留。

《山水情懷》不僅是描繪出大地山水壯麗之美，更藉山水，抒發作者仁智情懷。文學的語言，是以藝術的表現直覺的感受為目的，除精確、生動地描述自己的感受之外，更要言之有物，使讀者感覺到就好像身歷其景一樣，感官上也似有所見，似有所聞，因而產生共鳴。《山水情懷》即將付梓，建岳兄囑我為序，在建岳兄面前，何敢為序，僅能以讀後感想，略述一愚之見罷了。

．民國八十九年八月二十日於台中文學街

沙城清歌花外笛

・序洪荒的《洪荒歲月》

出版：詩藝文出版社

1

筆名洪荒的洪守箴，以《洪荒歲月》作為詩集書名，可以說是匠心獨運，頗具巧思。書中用「紀」取代「輯」、「卷」之分，配合《洪荒歲月》的書名意涵相互呼應，將個人生命成長的軌跡與「宇宙洪荒」的嬗遞、演變、推進，融為一體。縮小近看，則為一己風貌；放大遠觀，則可彌漫六合。更是巧同造化，別出機杼，仔細品味，令人刮目。

2

民國四十六（一九五七）年調至台東岩灣職訓二總隊，對我們這群實在是沒有絲毫問題的問題人物，在無罪可判，無法可治的情形下，於民國四十九（一九六〇）年奉命以「因病退伍」的藉口，脫下了戎裝。

在岩灣三年，結識了詩人李春生，明智的長官知道我們沒有問題，就分配我們到各單位工作，那時我在生產組。由於行動較為自由，春生和我又都酷愛新詩，於是籌組「東海詩社」，商借台東唯一的報刊《台東新報》星期日副刊版面，出版《東海詩刊》，後來改名為《詩播種》。洪守箴也頗為關心，只是，交往不深。

其實，有一段時日，每日晨昏，在岩灣眷村有一位齊耳的秀麗短髮、姣美的俊俏臉孔，背著書包目不邪視的走在路上，不知招惹多少仰慕嘆羨的目光，事後才知道這位美少女就是洪守箴的妹妹。職是之故，對其印象特別深刻。但和洪守箴過往較密是師訓班畢業，因為詩人李春生任教台東與其合編《台東青年》時。由於春生時常提起他，只要到台東就會歡聚一堂，談詩論藝。

3

日出日落，週而復始，不急不緩，是那麼有節奏的一天又一天的累積著，遞增著。日子總是在不知不覺中，悄悄地來，匆匆的去，不管你是誰，都無法挽留住時間的腳步，生命也就如此的在悄悄地成長、茁壯。怪不得古人會興起「天地有萬古，此身不再得；人生只百年，此日最易過」的浩嘆。

人生的路，漫長而遙遠。也許，在歷程中所殘留的腳印，有眼淚、有辛酸、有汗珠、有血跡；但卻正孕育著來日豐碩甘美的果實。所以，要踏實的走下去，走一步，留下一個腳印。在長久的磨鍊中，塑造不朽的永恆，在永恆的不朽中，閃爍著生命的光輝。最初讀洪荒所著的《洪荒歲月》，隱隱約約可以窺知其生命成長中所經歷過的軌跡。

祖籍浙江溫嶺，生於福建漳州，成長於台東岩灣的洪守箴，台東的山水風景、人物，點點滴滴都溶入了他的生命，佔據了他的思維。

因此之故，《洪荒歲月》一書中，第一紀的序詩，第二紀十首，第三紀二十二首，第四紀六十四首，合計近百首詩作中，就有十分之一強的作品是描繪東部的景物，足見台東在他的生命中佔有多麼重要的地位及份量了。

4

說台東是洪荒的第二故鄉，相信他也不會否認，翻開《洪荒歲月》第三紀七首〈東台灣詮釋〉的詩作，第四紀中〈台東大橋印象〉、〈台東行吟〉、〈東海岸印象〉及〈南王山麓〉等作品，作者那種依依難捨的戀故戀舊的情懷，盤據在他的心靈，糾結著他的生命。

尤其當作者在台東新站枯坐候車，猛抬頭的一瞬，瞥見青翠的南王山麓，遂有〈南王山麓〉詩作的產生，若非久居於此，絕對寫不出如此細膩感受深厚的作品。如該詩首段就有如此的詩句：

旭日自太平洋濱
為群浪鑲金
以雪白舞姿
以千軍萬馬態勢搶灘
以虔敬之情向南王山朝聖

這種觀察入微，寫景生動的描繪，絕不是一瞥即就，而是醞釀日久，自然流瀉迸發出的佳句。古人所謂「人情懷舊鄉，客鳥思故林」，就是最佳的寫照。

5 劉大白有一首〈西湖秋泛〉的寫景詩：

厚敦敦的軟玻璃裡
倒映著碧澄澄的一片晴空
一疊疊的浮雲
一隻隻的飛鳥
一彎彎的遠山
都在晴空斜影中
湖岸上，葉葉垂楊葉葉風
湖面上，葉葉扁舟葉葉蓬
掩映著一葉葉的斜陽
搖曳著一葉葉的西風

這首詩的構成主要是作者善用疊字，本詩除了第六句外，都有一組疊字，尤其最後四行，連用六組十二個「葉」字，更是一種大膽的表現方法。這在修辭上稱為複疊，也就是同樣的字、詞、句，重複的使用，能使人有一種情韻迴環，風致餘邈的感受，誦讀起來，會覺得言有盡而意無窮。

《洪荒歲月》不少詩作中也用了複疊修辭的方法，如〈湖之劫〉：「旅人的手啊／柳的髮絲／招冷冷之風／掀千唇萬眼／頻呼／醒醒啊／醒醒啊／醒醒」。〈東海岸印象〉中「百代／百代的／哲人思緒……古今／古今的／智者慧根……」。〈九二一的震撼〉中「秋已濃濃／夜也濃濃……山也默默／水也柔柔……」。〈淡水河即景之一〉中「右岸紅樹林／株株擁擠／葉葉廝磨……」以及〈泰源行〉中「……一彎細流／仰天吟不成調／村夫嚷嚷／車行隆隆／煙霧濛濛……」……書中像如此的表現手法，不勝枚舉，僅信手翻閱，在此提出，作為參考。

6

《洪荒歲月》中〈那年與今日〉、〈隱士〉及〈今日與昨日〉悼念林玲及李春生的詩作，可以說是摯情至性之作。春生和林玲是詩壇熟知的朋友，讀洪荒的悼念詩作，彷彿他倆的音容面貌，生靈活現的神態又顯現在人們的面前。

諸葛亮在〈論交〉一文中說：「士之相知，溫不增華，寒不改葉，能四時而不衰，歷險夷而益固。」歲月無情，俯仰之間，雖為陳跡，人們怎能不興起因為睹詩而引發思人的情懷呢！

7 《洪荒歲月》一書中，有不少詩都是一段到底，短詩尚無大礙，像〈霧峰林家花園印象〉，但若像長達四十一行的〈致九二一失蹤者〉一詩，讀起來就有喘不過氣來的感覺。另外，像〈山林印象〉最後兩行若能併為一行，可分為四行一段，若以文意內涵，也可以分為44133１。〈杉原影帆〉可分為5544四個段落，使得詩的內容與形式能夠配合呼應，相得益彰，也使讀者有停頓、回味的餘地，更能增強詩的可讀性。

8 在詩序中「先王以是經夫婦，成孝敬，厚人倫，美教化，移風俗。」這說明詩的教化是多麼重要，但願《洪荒歲月》的出版，也能為這個日益物化的社會，提供些微的助益。

洪荒老友在《洪荒歲月》的目錄中，預列出有我為序的篇目，寫序不敢，謹陳述讀後一些雜感，以應雅命，不週之處，尚請作者及方家教正。

・民國八十九年十月二十四日於台中文學街

悠悠歲月天涯情

·為孫磊的《歲月滄桑》作跋

出版：文學街出版社

細草碧如煙　薄寒輕暖天

早晨迎著曦光，黃昏背著夕陽，日復一日，將近三千個日子，就這樣的騎著單車，在中興新村與草屯旭光之間穿梭著。在腦海裏還不時的算計著學校校務的點點滴滴，這位戴著眼鏡、彬彬有禮、溫文儒雅，不算高大的山東漢子，你猜他是誰，告訴你，那就是旭光國中校長孫磊先生。

在《歲月滄桑》的自序中，作者說：

> 海隅棲邊，歲月不居，而今我在海外富足的寶島上，已經生活了五十六年。從一個活力充沛的少年，變成了年逾古稀的老翁，數十年的滄桑歲月，甘苦備嘗。

曾有一位節目主持人說道：「一字頭年代出生的人，命最苦！」套句現代流行的話語說：「一年級的人，命最苦！」作者的這一段話，也正是那個年代的我們的縮影！

在序文中，作者曾寫道：

春去秋來，島居歲月中，自軍中解甲之後，我以榮民身分，在花蓮師範接受了一年的師資專業訓練，在鄉下做了六年的小學教師。想不到又到縣府做了多年的教育行政工作，更想不到因職務調遷而主持了三所國中的校務，長達十六年之久。

天呀，這不就是我的側影！所不同的是我沒有從事教育行政業務，也沒有當過校長；相同的，都同樣從事作育英才的教師工作。

秋到天空闊　浩氣與雲浮

今日社會，科技掛帥，經濟為重，功利思想，甚囂塵上，汲汲營營，追名逐利。連史學大師司馬遷都有「天下熙熙，皆為利來；天下攘攘，皆為利往」的感嘆！人們處在這詭譎莫測、瞬息萬變的社會裏，如何善用智慧，發揮才能，追尋人生正確方向，步上光明坦途，是人生不容忽視的重要課題。

在《歲月滄桑》一書中，作者對人生的態度有深刻的體會與感悟：

・人間世的悲歡離合，猶似月之有陰晴圓缺，一切總是以想得開、看得淡為宜。（頁32）

・生當斯世，而為斯民，不管環境如何艱苦，遭遇何種困難，均當勇往直前，披荊斬棘，開拓前程，步上康莊。（頁32）

・人生有災難，一如流動的水有波瀾。水流的阻窒處，益見其湍急；人生在困厄中，要越發振奮。（頁34）

・生活癱瘓得夠長久了，我需要再抓住一點時間來做些有意義的事。今生，展現在我面前的路很長，對人群、對自己，我都有許多應盡的責任；我需要有像過去一樣健壯的體魄，經營善與美的生涯。（頁51）

・不屈的意志是我抗禦痛苦的盾牌，任何災難困危是折磨不倒我的。禁得起憂患的錘鍊，才足以言人生；遭受過挫折和打擊的人，才會更剛毅，更堅定。（頁98）

・對人，我們告訴自己要誠懇；對事，我們要求自己要公正。（頁106）

以上所摘錄的金言佳句，正是促使作者淬礪生命的火花，更可作為徘徊在歧途而正徬徨無助的年輕人，導引著奮鬥的方向。

遠山芳草外　流水落花中

作者曾在小學任教，復在南投教育局擔任視導工作八年之久，跑遍南投縣十三個鄉鎮市，一七九所國民中、小學校，且先後主持過三個國中的校務工作。所以毫無疑問，為了作育英才，作者付出了畢生的心血和努力。正如作者在〈豐收的一年〉一文中所說：

「教育是百年樹人的大事，最重要的是辛勤耕耘，潛移默化；培養優良的技能，改變學生的氣質。」

並且在週會演講時，為了勉勵同學做好人以塑造自己的形象，說好話以表達自己的心聲。希望他們做到：

❶存好心——好心必得好報。
❷起善念——一念之善就是進德的根基。
❸抱好感——真誠的喜歡別人，別人才會喜歡你。
❹行好事——日行一善，就是功德。
❺交益友——近朱者赤，近墨者黑，不可不慎。
❻讀好書——開卷有益，學無止境。

管子曾說：「一樹一獲者，穀也；一樹十獲者，木也；一樹百獲者，人也。」身為教育工作者，時雨春風，使學生在耳濡目染中，獲致潛移默化的功效。日後踏入社會，各展長才，各施所學，還有什麼比這更快樂的事。

期勉學子的話，書中所敘甚夥，不再一一縷陳。有關作者教育理念的闡發，諸如：校園環境的美化，生活教育的重視，人格品德的培養，教學品質的提升，謀生技能的學習等等……。另外，作者對文藝教育也十分重視。

人們常說：「言為心聲，文如其人。」文藝不單單是作者人格的表現，也是複雜的社會百貌及人生世相的返照。所謂思想是無聲的語言，語言是有聲的思想，就是這個道理。所以，孫磊學長在旭光國中盡心竭力主持校務之餘，復籌畫按期出版《九九峰》校刊屢獲佳評外，並於八十五年出版學生文藝習作專書《春風少年情》，八十六年又出版了教師作品選集《溫情滿校園》。

曾經是台大教授，文學院院長的當代學者朱炎先生說：

「如果子女是父母血緣上的繼承者，那麼，學生就是老師心智上的後裔。老師對學生的愛和父母對子女的愛，容或表現方式與程度不同，其愛的本質應該是一樣。」

山光悅鳥性　潭影空人心

美學家朱光潛在《談文學》中說：

「思想情感為文藝的淵源，性情品格又為思想情感的型範；思想情感真純則文藝華實相稱，性情品格深厚則思想情感亦自真純。」

《歲月滄桑》一書中所有的篇章，可以說都是作者思想情感、性情品格的自然呈現。讀者若能細細品賞，必會和我一樣心有戚戚。

依據孫磊學長《歲月滄桑》原稿粗略的統計，發表的報刊雜誌，多達二十二種之多，其中以國語日報十七篇，榮光周報九篇，新生副刊、大華晚報各四篇，中央副刊、中華日報、台灣新聞報各二篇，其他或一篇或二篇，皆刊登在不同的雜誌上。另外，除了附錄二篇不算在內，五輯七十三篇文章中，作者除了四十九篇用本名發表作品外，以孫君磊的有九篇，以石光的有五篇，其他用過的以筆名：秋雁、君磊、荷生、念源、筆卒等發表的作品或一篇或二篇。由此，足以窺知作者不慕虛名，謙卑自牧的胸襟。

我之所以花費筆墨作此敘述，證明孫磊學長是一個淡泊名利的謙謙君子，這是最令我敬佩之處。

孫磊先生、柴扉先生兩位學長和我在花崗山不同班級同校共讀，但在校時相知不深，離校多年之後，始獲知兩位名家是我同窗學長，由於同樣愛好舞文弄墨，寫作自娛，是以交往頻繁，感情日篤，孫君出書，柴君為序，本已十分完美，孫君在自序中，囑我續跋，實為驥尾續貂，倍感汗顏，但盛情難卻，勉力而為，不妥之處，還請二位學長海涵。

・民國九十五年六月發表於《海鷗》三十四期

顏真卿勸學篇妙語錄

三更燈火五更雞，
正是男兒立志時；
黑髮不知勤學早，
白首方悔讀書遲。

李崇科小說選
李崇科 著

天涯情遠春無極

・為《李崇科小說選》作跋

出版：文學街出版社

摯友崇科，罹患眼疾，提筆為文，諸多不便，心中塊壘，意欲抒發，端賴口述，由其妻握筆，一一記述。夫妻之情，令人感佩！

袁宏道在論文中說：

「口舌代心者也，文章又代口舌者也，輾轉隔礙，雖寫得暢顯，已恐不如口舌矣，況能如心之所存乎？故孔子論文曰：『辭達而已』，達不達，文不文之辨也。」

由此可知，心有所感，由口訴說，其隔一也，透過文字，輾轉表達，其隔二也，作者口述，他人書之，又一隔也；是以，辭意表達難以盡如原意，這是莫可奈何之事！然總比鬱悶在心，不吐成疾，仍為上策！

崇科決定出版小說選，因逢暑假，初校由其女公子綺玉校對。二校工作，崇科囑我代勞，受友之託，義不容辭！

花了一週的時間，在數度落淚之下，校完全書十四篇小說之後，不禁仰天長嘯，崇科為文，筆力千鈞，動我心弦，震我魂魄！

《文心雕龍》一書〈知音〉篇中說：「夫綴文者情動而辭發，觀文者披文以入情，沿波討源，雖幽必顯。」情之為物，可以左右人生的導向、驅遣生命的動力，增添人世的歡樂，製造生活的悲苦。足見情之於人，具有多大的威力。

《李崇科小說選》雖然大都是早期的小說作品，然歷久彌新，仍具有時代意義，這也就是文學作品可以打破時空的拘限而永續受人誦讀的原因，古人所謂「文章歲久而彌光」的道理。

吾妻快年，對崇科文章，讚賞有加，而我每因俗務纏身，從未詳讀其文。此次受命校稿，一字一字的仔細讀校，不由暗自衷心讚佩！

惜其移居中興新村後，有段時日，沈醉於圍棋，久未執筆，每逢相聚，力諫未果。其後為眼疾所苦，偶有感觸，意欲提筆，力有未逮！而讀者也不免錯失了一讀其文的良機。

在《李崇科小說選》的作品中，作者對人物刻劃，栩栩如生，情節推展，入情入理，場景描寫，生動有趣，人物對話，恰如其分。狀物思貌，無窮無盡，用辭精準，各盡其態。其作品可以說是有血有淚有真情，有骨有肉有生命。

尤其校對〈西北雨〉時，幾度眼眶泛紅，流下淚來。枯且不論該文提出有關法律層次的諸多問題，更不以探討〈西北雨〉在當年沸沸揚揚曾經引起輿論界爭辯的問題。單就蔡裕堂被收押之後，其妻淑芝艱苦奮鬥的歷程，其子阿民善體人意的孝心，其長工老周感恩回饋的善舉，在在都令人感動不已。

《李崇科小說選》中之〈山之巔〉已有兩位作家精闢的評介，〈危橋斷魂〉又有編者貼切的按語，是以不再贅述。

〈手銬和銀子〉刻劃捕快押解犯人到信陽，欲覓嚮導未果，適經商的矮胖子來投宿，亦欲赴信陽，正在焦急之際，來了一人願權充嚮導，但向商人索三十個銀元。一路走來，山山水水，倍感艱辛！後來在樹林裡巧遇原以為是盜賊，後來捕快始認出其是抗日名將雷大鬍子。將到信陽時因戰爭密佈，無法交差是以放了犯人，而權充嚮導者也將銀元歸還商人。人性描繪絲絲入扣，意外結尾，更令人叫絕。

〈水邊厝〉描寫居民生活的困窘，後經政府專業人士的輔導，建立了農、漁、牧的綜合社區，居民生活是以獲得大幅改善！為政之人，果能抱著「人飢已飢」的精神，造福百姓，是百姓之幸也。

〈回籠〉寫逃犯潛入百姓家中，發現孩子生病，疑是腦炎，欣然協助病童去醫院就診。俗云：「壞人沒有壞到百惡不赦的，好人也沒有好到一塵不染的。」信乎！

〈巷尾〉描寫來發娶了一個曾經在火坑裡打滾的女子為妻所產生的糾葛，後來其妻出走，到最後又回到來發身邊。

〈河灘上的石子〉是寫劉大剛投靠老胡，以篩石子為生，與霸佔石子市場的鄭龍所發生的衝突。文中並穿插阿鳳與大剛的戀情。最後鄭龍被送到外島管訓而結束。

〈龍山伯〉描寫遭逢亂世，潤德被抓，後經龍山伯營救。其子李運生到泗汾讀書，遇見親共的體育老師，因父親潤德被日機炸死，體育老師慫恿其為父報仇，暗地邀約同學同行，意欲投共，後來被龍山伯救回。最後龍山伯與眾多鬼子兵格鬥下犧牲成仁。

〈早來的聖誕節〉張汝霖因病在嘉義療養，其妻素梅與子女韻華、志偉以賣水餃為生，孤苦奮鬥的故事，令人產生同情與憐憫之心。

〈長影〉描寫落魄的火土仔，因貪戀女色與原配決裂，和金鳳示好，錢財用盡，被金鳳拋棄，盛怒之下，動刀報復，進入牢房。出獄之後，無臉返家，在尖石煤礦工作，推煤車時不慎壓斷了腿。其妻得知，前來探視，並告知兒子春仔將要結婚的消息。兒子結婚，有了孫子，火土仔都在暗地裏為兒子祝福，和孫子嬉戲。尤其適逢年節，和孫子阿齊講電話，生動鮮活，安排巧妙，令人動容。

〈春夢〉描寫軍人年輕伙伴阿寶、趙彬、阿欣、小慶等在橋頭駐守追逐異性朋友的點點滴滴，寫活了在追逐歷程中相互鼓勵、支持，頻出怪招的點子，看著看著幾乎就是我在軍中一些伙伴追逐女性朋友的化身，感到十分親切。

〈金花〉退伍老兵張伯伯獨居山中，與近鄰年輕寡婦金花相戀日久，因金花獨子阿福的作梗阻撓，結束了一段沒有結果的戀情，後來，金花帶著阿福到台北謀生，不幸其母金花仙逝，手中還握著張伯伯送給她的結婚項鍊。阿福長大成人，深感阻撓母親與張伯伯的婚事，懊惱不已。

〈白手絹〉描寫在日軍統治下，作威作福的山木，徵調勞工興建飛機場，藉著孩童的口述，引出鄭老師的鄭是鄭成功的鄭，再引伸漢、唐強盛的朝代，作為他投效國家的伏筆。其中更以阿貴姐姐阿珠被蛇咬傷，鄭老師施以急救並以白手絹包紮其傷口背其回家，因之產生了戀情。但鄭老師一直未露其名，更增加了一份神秘感。而村民在山木的淫威及海森走狗的凌辱下飽受摧殘。當機場建好，日機依序排列，忽然發生爆炸，鄭老師被阿貴的爹背回家時，大家也都知道發生了什麼事。而山木更是藉機恫嚇凌虐村民。未幾，日本投降，村民放鞭炮慶祝，興奮不已，今後再也不必受鬼子的欺侮了。〈白手絹〉曾在一九七九年被譯為英文，足見該文受到的重視了。

文心雕龍〈情采〉篇中云：

「故情者，文之經，辭者，理之緯，經正而後緯成，理定而後辭暢，此立文之本源也。」

是以，任何藝術都蘊有情的成分在內，只是情的深淺、濃淡、明晦程度的不同罷了。

《李崇科小說選》當然也不例外。

我之所以對《李崇科小說選》每篇作品略加敘述，實在是崇科在小說中蘊含的深情，令我感動所致！當然，礙於個人鑑賞與表達的能力所拘限，恐不能呈現其作品精髓於萬一，諸多疏漏不周之處，尚請方家賜正，崇科兄寬宥是幸！

・民國九十六年六月發表於《海鷗》三十六期

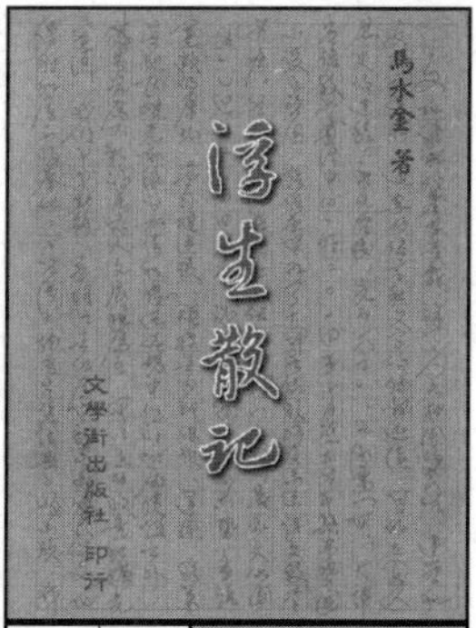

長歌故園芳草綠

・序馬水金的《浮生散記》

出版：文學街出版社

俯飲一杯酒　仰聆金玉章

一位二十出頭，正是年少輕狂強說愁的時節，在人生旅程中十分順遂的話，也不過在大學深造或者是離校謀職的青澀的年輕人罷了。然而，這位不讓年輕留白，使得絢麗的黃金歲月無情的飛快流失，徒增昨日少年今白頭的感嘆！是以振筆疾書，抒發少年情懷總是詩的感受。這種異於常人絕無僅有在簡冊留芳的獨特表現，令人擊節讚賞，嘖嘖稱奇之餘，怎能不延頸企踵，刮目相看：

《凌晨輕歌》

《蘆笛響在小河邊》

《浮生少年遊》

《竹林．綠野．幽徑》

《策馬江湖》

這五本文集先後相繼出版，作者在涉事未深的弱冠之年，正是該奔騰歡跳，不受羈勒陶醉在年輕的夢幻之中，儘情享受揮灑青春年華，過著人不輕狂妄少年的歲月。然則難能可貴的是作者卻能夠「居幽而思至，思至而筆利」的，有如此敏銳的思考能力，自覺的省察功夫，妥切的遣詞技巧；史無前例的將一本本金聲玉振的作品呈現在世人面前。引起讀者的共鳴，作家的好評，誠非易事。

以之為鏡，對照個人的成長歷程，也不過是與槍等高、胸無點墨，懵懵懂懂的少年兵罷了。與頭角嶄然，奔逸絕塵的作者排列並座，豈只是天壤之別，能不愧煞人也！

《浮生散記》是作者的第十二本文集，該書分為「浮生散記」、「寺廟行腳」、「講古憶舊」及「非文學」四輯。書前有作者以「人生有夢．圓夢最真」為題的序文，書後有作者的年表。

童顏若可駐　何惜醉流霞

作者在弱冠之年就出版五本文集，而且獲得有識之士高度的評價，茲摘錄部分於後，以饗讀者。

王盈之：

《凌晨輕歌》是一本可讀性甚高且有價值的書。拜讀完畢，使我深深覺得作者一顆敦厚、溫和、善良、敏慧的心靈，從字裡行間表露無遺。由他的筆尖反射出清新脫俗、細膩婉約的詞句。

張世賢：

馬水金的散文風格一向是——純樸、率真的！由《凌晨輕歌》到第二本散文集《蘆笛響在小河邊》，馬水金的散文，使人有這種的感覺——樸素多於艷麗，靜態多於動感。

《蘆笛響在小河邊》全書中我較偏愛「溫馨」這篇文章，描寫師生之情、朋友之情最突出的一篇，寫在學時的師恩、友情，臥病在床時接受到的關懷，這些摯情寫得很真，完完全全的將「溫馨」表露出來，字裡行間不時的流露出摯情，很扣人心弦，是我看「師恩友情」這類文章中，寫得最情切的一篇！

許振江：

《浮生少年遊》是馬水金的第三本散文書。

……

一個作者的心靈，往往有個某種「根源」，唯有其「根源」的既深且固，才能使作者在繁雜的外界影像交輝下，不致迷失了。

而這「根源」不一定是山，是海，是故鄉的，也有可能是某句師誨或某段名言，或慈母的愛憐等等。

我們可以感知「靈性接受大自然的薰陶」這句話對馬水金來講，有其重大的意義。

馬水金的「根源」呢？

魏秋信：

讀著馬水金的《竹林．綠野．幽徑》，心靈不覺已飄往那廣闊的原野，接受大自然的洗禮。踩濃霧，迎晨曦，賞落日，品彩霞，一切都那麼的自然，一切都那麼的實在；心靈就像晨霧般將整個大地籠罩住而融合成為一體。

我真佩服馬水金的文筆與才華，他總能夠將身旁的一景一物，淋漓盡致的藉諸筆端描繪出來，使人讀之如身臨其境；對我來說，更有一層微妙的親切感。

《浮生散記》除了保有上述的優點之外，整本書可以說：文筆流暢，行文自然，文簡意賅，說理平實。而且從該書各輯的篇章中更可以窺知作者，勤奮求進，飽覽群書，思慮縝密，徵引廣博。這在「寺廟行腳」及「非文學」兩輯可以得到明證！

儘管有些篇章是作者早期的作品，但都是作者親身的體驗，深刻的感受，明澈的領悟，獨到的見解。所謂「好書不厭百回讀，熟讀深思子自知」。《浮生散記》是一本值得仔細品賞的好書。

水月通禪寂　魚龍聽梵聲

所謂宗教，是有所宗為教的意思。宗教是人對一種比自己偉大的力量的信仰，他普遍存在於人類社會中。歷史上各民族用不同的稱謂，描述這超越人類的力量。

以崇拜的對象而論，宗教可分為三類：

❶**泛靈信仰**：如某些民族相信巨石、老樹、山川等，皆有神明。

❷**多種信仰**：相信每一神明掌管人類部份生活。如國人信仰的城隍爺、土地公、月老公；古希臘有所謂的愛神、戰神。

❸**一神信仰**：相信唯一的神創造了世界，並且裁判人類的行為。像佛教、回教、天主教及基督教等。

作者第二輯「寺廟行腳」二十篇作品，可以說將全國重大寺廟作了一個深入且重要的探索和報導。不僅僅探本索源報導寺廟的淵源與沿革，並對人民遭遇災禍、疾病和困厄，而神明顯現的奇蹟亦有詳盡的報導。更難能可貴的是作者對寺廟之間發生某些不必要的爭議，有獨到的見地和深切的期待。在〈弘法遶境，湄洲媽祖〉一文中作者說：

任何宗教，都是以教化社會風氣為主，以補法治之不足，其淨化人心，提倡修身養性的功能，對國家、社會、人性的和諧影響至深。相信，所有媽祖的信徒，都不願意見到北港朝天宮、新港奉天宮和大甲鎮瀾宮之間的不愉快。何況朝天、奉天之爭，只為「誰是祖廟」

而已。誰是祖廟其實並不重要；畢竟，祖廟在湄洲是不爭的事實，媽祖只有一個絕對沒有爭議。

……期盼新港奉天宮與北港朝天宮，能以媽祖慈悲為懷的精神，共同促進信徒的團結，不再有「論戰」的聲音。站在新聞及文字工作者的立場，期盼同業本諸宗教的和諧為前提，避免媽祖和媽祖鬥法的報導，因為，受傷害的是媽祖，媽祖在上，豈有不悲憫蒼生之理？

作者在〈四龍相應．造化其中〉及〈黃龍飛出．景觀宜人〉兩文中進一步論述說：神明力量，可以無窮無盡，神明慈悲，樂於助人，但「先自助，後人助，再得天助」，蒼生悠悠，善惡存乎一念，又豈是每人都救得、助得，唯有心人能「精誠所至，金石為開」！

信眾應堅定所持宗教信仰意義：禮神明、敬祖宗。因信而敬，不可因信而迷或因迷而信。自助天助，神可以給你信心，成果則靠自己努力實踐；神可以給你力量，任務卻要靠自己完成；神可以給你光明，正途則要靠自己去走。這是走訪寺廟宗教報導最大的期待。

作者這種悲天憫人的情懷，用心良苦的作為，在「寺廟行腳」一輯中表露無遺，實在是令人敬佩！

正如鍾華操先生在《台灣地區神明的由來》一書中所說：

由於宗教起源於有神思想，所以大多數是闡揚神權的，因之各種宗教的活動，雖然各有各的進程，但出發點不外下列四大原則：

❶說神明之法——宏教傳道；

❷揚神明之功——祀神敬祖；

❸禮神明之心——進修天人合一；

❹續神明之德——組織團體。

作者對宗教的觀察與體悟，正與鍾先生的說法不謀而合。

客路青山外　行舟綠水間

作者在人不輕狂妄少年的歷程中，有一大段時期陷身在叛逆的泥淖中，這種慘綠年少的遭遇，設若就此灰心喪志，一蹶不振，或者誤入歧途、不可自拔，那是再自然不過的事。然而作者不被惡劣環境所羈勒的決心和堅強的意志，含淚忍痛支撐著跌倒了再掙扎的爬起來的勇氣，這都得拜作者那種充滿了向上向善昂揚奮進的鬥志及堅強的毅力之所賜！

西哲金斯萊曾說：

人生途徑的成功者，輒為滿懷希望的樂觀者，總是一貫的面露笑容，對付一切來臨的甘苦，承受人生的變故與機會，誠為真正的大丈夫。

《浮生散記》的作者，可以說以自己的生命將西哲金斯萊的名言作了最佳的闡釋。

的確，作者求學的大門被關了起來，另外且開了一扇創業的窗口。作者在失學的痛苦煎熬中，除了藉由文學創作抒發苦悶的心情之外，開始將生命的觸角伸向社會的每一階層，去試鍊、去探索。從雜誌副刊的編校，到打字行的創業摸索，經過數十年奮鬥，夫妻共同協力經營，到今日頗具規模的「金玉堂彩色印刷廠股份有限公司」。這種「寒天飲冰水，點滴在心頭」的體悟，只有當事人才知其中的滋味！

筆者與作者推誠相與，慕名神交三十年，廁身旗下，垂青嘘植十載有餘；對其為人，十分傾服。要言之，作者待人寬厚，情深義重，救人急難，熱心公益；寧可人負我，我決不負人。這絕不是冠冕堂皇，徒尚空言讚美托詞，皆有事例以為佐證。

傅庚生先生說：

「文學作品的風格，淵源作者的人格。」

朱光潛先生亦云：

「一個作者的人格，決定了他的思想和情感的動向，也就決定了他的文學的風格……。」

我們固然不必拘泥於「風格即人格」而頗有爭論的說法。但二者之間在某些時空交集點上，或多或少，或隱或顯的總有某些關聯性的存在。準此而論，從《浮生散記》的篇章裏也可瞭解作者的人格，反射在作品中風格的一斑。

論公，馬先生是我的上司。論私，我們是文友，由於虛張他幾歲，故其在《浮生散記》

一書中預留篇幅，囑我為序。為序怎敢！僅抒讀後感受，一愚之見，陳述於上。最後，拈出五絕一首作為結束並與作者互勉：

聽雨碧溪上，品茗望長空；
浮生多少事，千秋一夢中。

驀然回首

馬水金

一九七六年，中國文藝協會在省一中禮堂舉行會員大會，與秦老師在會場入口處第一次相見。當時他在明道中學任教，主編〈明道文藝〉，我在〈企業世界〉主編叢書，為〈讀友文摘〉之創刊在會場散發文宣廣告。兩人一見如故，相知相惜。

秦老師後來在台中女中任教，主編〈中女青年〉，曾熱心推薦我前往洽談承攬印製事宜；他主編〈中市青年〉時，曾要我為「寫作經驗談」專欄提供一篇文稿，我以「文字工作，一路到底」為題寫了三千多字與年輕學生分享經驗。這「不解之緣」，也促成秦嶽兄在女中退休後，願意到我甫成立的〈文學街出版社〉擔任總編，負責規劃系列叢書，其中「校園文學館」一口氣出版全省十三所中學、十七種校刊詩文選集。我支持秦老師建構「校園文學．年輕出擊」的計劃，內心有銜接〈民副〉當年鼓勵青年創作，並紀念引薦我到報社擔任副刊助理編輯的恩師孫若愚老師的深層意義。希望藉之以建立校園書香文化，讓年輕學生從中得到啟發而勇於提筆創作，因而以坊間類書六折定價，再八折優待學生訂購，未作任何商業利益考量，低價策略雖未獲致成功，但曾在校園掀起一陣文學創作熱潮，無論影響是否長遠或短暫，也算是一點貢獻吧！

請秦嶽兄主持社內編務，十餘年間額外為我分擔不少業務，尤其藉其文壇淵源，多方掌握文壇脈動長才，常相砥勵，讓我不致因忙於印刷本業而封閉文壇視野，還能活化我文學生命；其間並持續邀約數十位文壇文友陸續出書，襄贊業務，且因之與文壇先進廣結善緣閒話文學，更不致「三日無書，面目可憎」。自感何德何能，因此內心始終感激。

秦老事親至孝，曾千辛萬苦將老母自河南焦作親自接來奉養，但年事已高的老母卻因水土不服，只好又送回老家安養。浮雲遊子夢難圓，那輾轉思念難眠，縱有陰晴圓缺之憾，已不愧為人子矣！

．民國九十五年十二月發表於《海鷗》三十五期

酷似石頭的台客

・序台客的《與石有約》

出版：偉霖出版社

三月六日，陰天，偶有細雨飄落。

台客、傳予兩位詩友應邀前來，赤誠相見，同享三溫暖。在「風車」吃過簡單的午餐，就到大雅路三洋三溫暖去偷得浮生半日閒三溫暖一番了。

詩友傳予由於預約門診，下午兩點就匆忙乘高鐵趕回台北。台客和我到了科博館在太空劇場看了一場影片，用過晚餐送他到車站乘車歸去。

臨下車時，台客交給我一本厚厚的剪貼簿啥都沒說就揮手而去。事後電話連絡，囑我張羅出版事宜。

愛石成癡的台客在民國八十七年就在國立圖書館台北分館舉辦過大型的詩、石、畫大展。當時，不知何故，未能躬逢盛會，引為憾事。

石，和人類有密不可分十分重要的關係，依照目前發現的化石，北京人和藍田人已有一百六十萬年，更早的人類化石，可能已超過兩百萬年。

人類初期以石為器具材料的時代，分為舊石器時代和新石器時代。舊石器時代，一切石製器具僅具形狀，不加琢磨；新石器時代，則製作較為精緻，並有石造建築物的出現。在我國，北京人和山頂洞人的文化，代表舊石器時代的文化；彩陶文化和黑陶文化則是進步的新石器文化。

《金石索》書中云：「石者方曰碑，圓曰碣；就其山石鑿之曰摩崖，亦曰石刻。」是以在石頭上刻的經書，謂之石經。我國現存最早的石刻文字，因為刻在接近鼓形的花崗石上，所以稱做石鼓文。石鼓，是在唐貞觀年間，在陝西寶雞縣的田野裡發現了十塊刻有字的大石頭，因其形狀像鼓，故稱石鼓。石鼓文共有七百餘字，以四言體詩記載戰國時代，秦國君主的遊獵情形，由於運筆剛勁有力，為典型的大篆，非常受書法家的重視。抗戰時期，為了怕受戰火的波及，特別將這幾塊古老的石頭運到峨眉山下收藏；抗戰勝利後，又運回南京朝天宮故宮文物庫房貯存。

石與人類的關係，其來有自。詩人台客之所以說是愛石成癡，是有其原由的。在《與石有約》這一本有詩、有文、有圖的作品中，我們可以窺知一二。《與石有約》共收錄新詩五十首（實際應是六十四首）散文二十四篇，所有詩文都與石有關，再配合作者所拍攝的形形色色美麗多姿的圖片，更增加了一份怡情悅目的可讀性。

請看〈我是一粒石頭〉：

我是一粒石頭
又堅又硬
躺在激湍的河牀上

風來襲我
雨來打我
甚至空中那隻飛鳥
灑落幾滴糞滴在我身上
我都不在乎

我始終報以微笑
對嚴酷的風雨
對和煦的陽光
對無知的群鳥
對多情的流水

我始終報以微笑
且把臉龐
迎向前方

作者自喻為一粒石頭，把石頭的特徵與作者的風骨融為一體，不管風吹、雨打，甚至鳥糞滴在身軀都勇於面對，坦然接受，而不屈不撓的精神令人可敬可佩之外，對紛紛而至的無情打擊始終報以微笑，且把臉龐，迎向前方。這是多麼脫俗多麼灑脫的表現啊！

東漢許慎認為石之美者就是「玉」，玉的質地溫潤，色澤鮮明，有一種特殊的美感受到人們普遍的喜愛。

不僅如此，孔子更提倡「敬玉」。因為「玉」有君子之德。把玉美分別與仁、義相比擬、相連接。由於君子是人們所敬重的，玉有了君子之德，因而人們在愛玉之外，也就格外的「敬玉」了。

今日存世的玉器，有禮器、符節器、佩飾器、喪葬器、鑲嵌器、樂器等，足見玉器運用之廣。

〈我是一粒石頭〉作者的喻意，猶若石之美而稱之玉，亦富有君子之德，今人敬重，也是再自然不過的事。

請看另一首〈石族共和國〉：

你是來自長江的浮萍石
它是來自黃河的星辰石
那一粒是來自印尼的黑石
這一顆則是本土的金瓜石

一群來自不同國度不同地域
如今卻都有緣相聚一起
在我家中的專屬石室裡
組成一個和樂的石族共和國

它們不喧鬧不相互攻訐
只靜靜據守著角落散發芬芳
在它們高雅氣質的影響下
驕傲如我懂得了謙卑

放眼今日台灣，政治濃霧，舖天蓋地，族群分裂，藍綠批鬥，被桎梏的框架所拘限，被意識的形態所羈絆，使得人們靈明的心靈被污染，在惶惶不安，終日愁悶的情形下，如何自處，安身立命，就成為一個重大課題了。

石頭不語，默默地和諧並存，今日某些喋喋不休，口號叫得震天響的政治人物，該有所省思有所警惕了吧！尤其是當你讀一讀〈石族共和國〉，經由作者的暗示、誘導，難道毫無一絲啟發嗎？如仍無所感動，那就再讀〈憨牛〉一詩吧！其他如〈東海岸撿石〉、〈布袋奶〉、〈這一塊大理石碑〉及其他各詩作，都有特殊的令人讚不絕口的表現。

玩石、賞石的前提，當然就靠旅遊到各地尋幽訪奇，搜購適於攜帶，便於收藏的雅石了。台客在〈賞玩湖景石樂趣多〉一文中說：

賞玩雅石五要項，所謂的瘦皺漏透秀，其實五要項各有千秋，不過賞玩雅石以來，筆者尤衷愛「漏」字一項。漏者，石中有洞而不穿透，小洞多者謂「雨滴石」、謂「蜂巢石」，若石中有大洞，則可形成「湖景石」。

台客之所以特別喜愛「湖景石」，因為千百顆石頭中也難覓得一顆。尤其是「湖景石」不只有湖景，設若再加上山景、谷景，就更視為珍寶了。

在〈玩石樂與苦〉一文中，台客歸納出賞玩雅石的三項樂趣和三項苦惱：

樂趣是：尋覓之樂趣，創作之樂趣，擁石之樂趣。
苦惱是：搬運雅石苦，無力購石苦，無處藏石苦。

這不僅是台客個人的感受，大概也是玩賞雅石者共同的心聲。旅遊是玩賞雅石的不二法門，是以台客從鶯歌出發，寶島台灣，南投的太極峽谷、溪頭、嘉義瑞里，蘇花公路、彰化的田尾公路花園，都有台客留下的足跡。而且多次利用參訪交流的機會，特別抽空前往四川自貢市的恐龍博物館、河南新安縣的奇石山莊、寧夏的奇石館、南京的蔣氏奇石館，以及嘉陵江畔、張家界等都有台客眷戀的眼神及探尋的身影。連遠在洛磯山脈的岩石山脈和閃熠的山脈，也不輕易錯過。

在〈江南遊・賞石記〉一文的結尾，台客說：

總之，中國大陸地大物博，奇山異水，奇岩怪石，觀之不完，賞之不盡。每次前往旅遊、參訪，總有新的發現，新的領悟與感受。

其實，除了大陸之外，台灣寶島，世界各地，也都蘊藏有不少的奇石，等待著人們去探訪、去賞玩、去挖掘了。

石，與人類生活關係密切的大理石，不管是產自義大利，或雲南的大理，或台灣的花蓮，由於質地堅硬，可以磨得十分光滑，除了作為建築材料外，可製作傢俱及室內裝飾。

另外，從藝術和宗教的觀點而論，河南洛陽的龍門石窟，山西大同的雲岡石窟，甘肅敦煌的莫高石窟，四川重慶的大足石刻。希臘雕刻家雕刻的栩栩如生的形體和動作，更為自然悅目。再者如契赤斯特主教堂：「基督頭像」；米開蘭基羅：「布魯日的聖母像」；貝尼尼：「路易十四像」；都是經典名作。

和書法家有重要關係文房四寶中的「硯」，不管是有名的「歙硯」或「端溪水坑硯」，都是以石的質地，評判優劣的。

早期人類敲石所發之火稱之謂「石火」；言交誼之固謂之「石交」；言友誼之堅貞，謂之「石友」。現在稱「石友」，多為賞玩雅石之友人。

從以上各種觀點來論「石」更加印證石與人類密不可分的關係。

從台客的序文中，很慶幸台客的理念，因賞石、玩石，以及撿石、購石有了重大的改變，台客認為：

> 石頭原是大自然的產物，還是讓它儘量處身在大自然中較為適當。……總之，天地之間就是一間龐大的賞石教室，裡面擺設了一局又一局的賞石佈局，就等著有心人睜開靈性的雙眼去欣賞，去感動。而這些奇岩怪石都非你我所能擁有的。

妙哉，斯言也！

詩人台客囑我張羅出版事宜，受友之託，忠友之事，本已達成任務。豈料台客日前電話告知，囑我為《與石有約》寫篇序文。序，我豈敢為之，只是將讀後一點感想，一點淺見，略加陳述，尚請台客見諒，玩石、賞石的朋友多多指正。

・民國九十六年五月發表於《葡萄園》一七四期

評論篇

蔣夢麟　黃守誠　余光中　曾美玲　劉　峰

李榮炎　朱光潛　謝冰瑩　羅家倫

顏崑陽　馮菊枝

王鼎鈞　朱君逸　隱　地　涂靜怡　蕭　蕭　朱　炎　傅佩榮

潘　皓　吳淑麗

王學忠　魯　松　王映湘　楊火金

落　蒂　文曉村　金　筑　莊雲惠　莫　云

多角妝鏡的側影

・評介王鼎鈞的《我們現代人》

出版：王鼎鈞

有目不能自見，正如有力不能自舉；所以，擁有一具多角的妝鏡，從不同的角度映射出不同的側影，明澈的端詳著一個真實的我，這是人生的一大賞心樂事。

無庸諱言，在科技一日千里，神速發展的現代，社會進步，經濟繁榮，人類在物質生活上，可以說達到了最高的享受。諸如熱有冷氣，冷有暖氣；以及冰箱、電視，都不算什麼稀奇的了。古時即有帝王將相之尊的達官權貴，也難望我們現代人生活的項背。儘管如此，現代的人並不感到十分快樂和幸福。這是因為在現實生活的鞭策重壓之下，心靈的枯寂，精神的無依，相對的加深加重了。就像蹺蹺板一樣，物質精神各居一端，上上下下，難以平衡。

放眼今日世界，到處都瀰漫著焦慮、苦悶、失落及迷失的陰影，這不能不歸咎於人們眩惑於物欲的撞擊之後所產生的結果。

《我們現代人》就是洞悉了人類生活的各個層面，從重重陰影中，透射出來的一線亮光。

《我們現代人》是王鼎鈞先生繼《開放的人生》及《人生試金石》之後，推出的一系列作品中的第三本力作。

這三本書，前後輝映，有一個共同的持點，那就是：信筆揮灑，自成妙趣；深入淺出，生動雋永；觀察入微，詞簡理足；情至真誠，義蘊幽遠。真可以稱之為：『狀難寫之景，如在目前；含不盡之意，見於言外。』這三本書，可以說字字皆珠璣，篇篇耐尋味。所以，我要奉勸讀者諸君，如果只是隨意瀏覽，走馬看花，不細心揣摩，涵泳優游的話，必定是徒入寶山，空手而歸，一無所獲。

為了探討《我們現代人》一書的方便起見，恕我斗膽將該書歸納為：生活態度，觀念問題，現實問題及寓言故事等四類。

現在就依次略加闡述。

1 生活態度

人生存在宇宙萬象的環繞之中，儘管人類的歷史悠久，文化淵博，但你必須回到你日常生活的繁瑣世界。當然，在歷史文化的指導與牽引下，也就決定了你對宇宙，對自然，對社會以及對人群等所把持的態度。態度和諧，就能循理而行，安祥自在而不踰越法度。

今日大專聯考，不僅是青年們在求學途中的一大關卡，也是家家都會觸及到的問題。能擠進窄門，固屬幸運，但大半會被摒棄門外。於是責備，譏諷、怨尤、詛咒、失望，頹喪就在門外交織成一片惱人的噪音，形成了『重要問題。』

『有兩種生活態度是不正常的：其一是怕競爭，永遠向後退縮，盡力保護自己不和現實碰撞，這種生活是蒼白的。其二是勇往直前，當仁不讓，但是只能成功，不能失敗，倘若「一蹶」，即從此「不振」，這種人除非特別幸運，則平生銳氣，只是造成自己的粉碎而已。』

日常生活中，人常常是畫地自限，不敢面對困難。在〈總有辦法〉中，作者一針見血的說：「你可以用『沒有辦法』拒絕別人的要求，但是不可以用『沒有辦法』面對自己的困難。」

在生活上，人總是喜歡和他人相比，而欲望卻是永無休止的。俗語所謂：「比上不足、比下有餘」，若能如此，就會「知足常樂」。在〈看相〉一文中，作者很巧妙的給了我們一個暗示。

〈造橋〉中：「有了橋，你就有了世界，甚至擁有一個宇宙。有些人不然，他們努力建造的不是橋，而是僅可容膝的碉堡。」這說明人自築鴻溝，禁錮了自己。

我們現代人，時聞代溝之說，代溝所以形成，簡單的說，就是觀念問題，觀念有了差距，就建造了溝渠，然後隔岸爭理，互執一端，不能相讓。

不僅如此，即使是自己也會有類似情形。例如：

『大人講話，小孩不要插嘴』。可是當他轉過身時，又立刻爆出一句：『那麼大了還不懂事！』

這種事不知流行了多少年。其他類似的不諧和的觀念，可以說比比皆是。

〈定於一〉的末段：『現代中國人需要一套內容沒有矛盾的人生哲學。這套東西以前有過，但是不能圓滿解釋現代人生。缺少這套東西，人無法統一解釋自己的行為，也很難解釋他看到的社會現象。』

〈紀念日〉，說明迷信的盲目心理，愚昧的執著觀念。最後作者斬釘截鐵的說：『龍年未必生龍，鼠年未必生鼠。』但很多人就是不信這個邪。今年是龍年，看看出生率，就可以知道。

〈快樂齒輪〉，強調金錢並非就是萬能，財富決不代表幸福。

〈智者就山〉，展示了社會型態轉變之後，人們僅是排斥，咀咒，都無濟於事。所以，先適應環境，再進而利用環境，最後能創造環境，如此才是明智之舉。

在混亂中建立秩序，是刻不容緩的，然而，等到秩序井然，社會安寧之後，推動這種改變的人的悲劇發生了。〈流浪的警長〉就是例證。

『由傳統社會到現代社會，也是社會的一種改變。人們置身於這緩慢而巨大的變遷中，也發生如何「調適」的問題。

3 現實問題

『我們現代人』的生活，愈來愈複雜，愈來愈感到棘手。

〈恨鐵不成鋼〉，說明了「常被人用來強調動機的善良，以掩飾行為的錯誤。其實，行為如果錯誤，『動機的善良』並不能減少它的惡果。」文中的例子，正是「偃苗助長」的翻版。愛深責切，明示了愛之不當，反成其害，為人父母者，豈可不慎。

急於使子女展翅疾飛，固屬不當，但採取觀望的態度亦非良策。

在傳統觀念中長大的父母，對於怎樣管教子女，逐漸喪失了信心。生活在新舊交替，青黃不接急劇轉變的境遇裡，的確使人無所適從。所以，在〈父母雙全的孤兒〉中的結尾說：如果我們有『迷失的一代』，那就是天下父母。

父母如此，而為人子女的又如何？

現代人的家庭，子女在父母的生育、教養、呵護之下，少則也要二十年，待子女受完大學教育，或出國深造，或立業成家，出國則遠在異邦，成家就別立門戶。而子女們所熟知的「誰言寸草心，報得三春暉」，也不過徒誦虛文罷了。

養兒防老的說法，遲早也會被現實生活浸蝕得面目全非了。〈色難〉一文的事例，能把點心送到父母的面前，已經是難能可貴了。那裡還顧得是輕輕的放還是朝桌上丟呢？

當然，這只是抽樣事例，不足以概全，不過這記鐘鳴，卻望大家都能警惕！

〈難〉文中，說「避難而就易的人，就是莎士比亞所譏評的順流而下的一塊破布，在水中日益腐爛」。

〈應變的智慧〉和〈總有辦法〉的事例，隨時會在現實生活中突現。

〈孩子長大了〉意味著社會在急劇的改變，而各方配合的腳步，如蝸牛一般，仍在緩慢的爬行。但是，若能像〈和風細雨才是春〉那樣，只要努力，總會改觀，怕的就是我行我素，一成不變。

4 寓言故事

唐君毅先生在人生之體驗一書「對說人之勸導」一文中曾說：啟發是勸導人最好的方法，但是啟發時應用暗示的語言，因為巧妙的暗示語言，常常能夠在人心不自覺的隱蔽處，開一道側門，使他人心靈的光，自然反轉到其他的善良之境界，而自己看見他的過失。

聚集了九十一篇短文的《我們現代人》，有十餘篇皆是以寓言的方式寫成的，這是最佳的暗示方法，所以，意義深遠，發人深省。

〈巨靈掌〉中，李老嗜賭如命，正欲孤注一擲時，突有黑影擋住視線。黑影者何？是在搓板上掙扎了二十年洗衣維生的母親的手。是以，捫心自省之餘，念母親之辛勞，思母親之深情，能懸崖勒馬，即時回頭。

〈饞〉文中，餅乾、蛋糕、烤鴨、羊腿，可說是由小而大的食物。這正隱喻著填不滿的『慾』。正如福樓拜爾在聖安東尼之誘惑一書假口慾說：「不要反抗，我是無所不在的神……人類所走的每一步都有我陪伴著，即使在墳墓的洞口，他還向我轉過身來。」的確，我們現代人能夠簞食瓢飲，居陋巷不改其樂而若顏子的，究有幾人？

〈我們修鐵路〉正含泳著當人們面臨滅亡的終站時，同列車的人將會同心奮力修築新線而扭轉危機。這使我想起在高一學生的教室裡懸掛著：先「犧牲你的享受」，再「享受你的犧牲」。這正和「先天下之憂而憂，後天下之樂而樂」一樣，饒有趣味。

另外，〈如果可能〉揭示了人類偏激的觀念，狹隘的心胸，往往戴著有色眼鏡，以冷酷的眼光對待改過自新的人。我們不是常常說「知過能改，善莫大焉」嗎？為什麼我們要鄙視這種善呢？所以，在該文最後一段寫著：『對改過自新的人要寬容。如果可能，再加上接納；如果可能，再加上信任』。

其他，如〈迷途知醒〉，〈月宮玉兔〉、〈懶人奇遇〉、〈蘋果主人〉、〈現代人的母親〉、〈一定強〉等篇，都富有令讀者扼腕三嘆，深思省悟的妙寓。

以上只是概略畫分，決非嚴明的界限，其中也許某篇和上述四類都有牽涉有關連的。作者在最後一篇名為〈沉思時間〉中說明：「事到如今，只有『書』這種工具還在鼓勵人們多多沉思。」

作者又強調這些書應有的優點是：

「文筆平易誠懇；字體大小和行間疏密適度；有思想性而又使用暗示的手法；深入現實而又不失空靈；不說教而能喚起積極的回響；篇篇以短製為主，使讀者無論用一分鐘，五分鐘或二十分鐘的時間閱讀都能有圓滿自足的感覺。」

這種為文的理想，不正是作者努力以赴的標竿嗎？而事實上作者已經做到了，而且做得很好。這三本一系列的書就是最好的明證。

唐太宗曾說：『夫以銅為鏡，可以正衣冠；以古為鏡，可以知興替；以人為鏡，可以明得失』。足見鏡對人的重要。現在我也邯鄲學步云：『以書為鏡，可以澄心志』。所以說，從不同的角度，映射出不同側影的《我們現代人》。我說是一具多角妝鏡，你該不會反對吧？

・民國六十五年十一月發表於《明道文藝》第八期

日長春困不成粧

・評介朱君逸的《大陸去來》

出版：時報出版社

步壑風吹面　看松露滴身

在大陸出生，在臺灣接受大學教育，在美國入籍寄居的朱君逸先生，為了慶祝「天命」之年的大壽，特別選擇了他的出生地去遊覽了一個多月。返美後，將其所見、所聞、所感、所思，以敏銳入微的觀察，平實細膩的筆調，作客觀、公正詳實的報導。不僅描繪出大陸人民的生活百態，更揭露大陸各地的真實面貌。讀完全書，掩卷長嘆，不禁令人扼腕切齒、椎心泣血，在反覆深思之餘，有幾句肺腑之言，不吐不快！

國破山河在　城春草木深

在《大陸去來》一書的透視下，今日大陸究竟是一個什麼樣的景像呢？歸納起來可以說是窮困落後、物質貧乏、生活艱苦、吃住簡陋。

朱先生在〈不堪回首話平滬〉一文中曾說：

『我遊覽過十多個大陸城市中，最使我失望的是北平。原因很簡單，它破爛得太不合情理、太離譜、太不應該。』

這種破爛的景象是在作者乘飛機在北平機場快要降落時就已察覺，從機場的郊區到市區，在半小時的車程中，作者又看到了什麼？

『這些鄉村沒有農村的「田園」之美，只有破爛、破爛和破爛。進了城，街道兩旁大小不等的房屋又是破、破、破。』

『北平是一所古都，儘可以舊，但不該破。尤其它是中共的「首都」，尚且任其破爛到這種程度，其他城市又該當如何呢？』

北平如此，而上海呢？作者說：

『最使我心酸心痛的城市是上海，它輪廓依舊，但神韻全失，好像一瓶走氣的可口可樂，只有顏色，沒有味道。』

『上海街頭仍舊是車水馬龍，但是大卡車、公共汽車、無軌電車多，而各式小轎車卻少得難以看見。』

北平、上海，不僅是中國人的都市，也是世界人士的都市，更是都市中的都市。連北平、上海都是如此，更遑論其他。

感時花濺淚　恨別鳥驚心

朱君逸先生可以說是個有心人，他不辭辛勞的萬里迢迢到了大陸，正如他說：『「旅遊」主要為自己，「探親」主要為父母。』職是之故，作者在兒時曾跟隨父母足跡遍及長江流域和黃河南北，故居當不止一處。所以，作者儘可能的想去尋訪當年的故居。這種尋根探源的懷故念舊的情懷，實在令人敬佩。

當作者在奔向記憶裡安樂美麗可愛的故居旅途中，那種沸騰、渴望、急切的心情，該是多麼熾烈啊！但是，當作者一到大陸，就如身著嶄新的服飾，驟然失足跌落於泥沼裡一樣的頹喪起來了。所以，作者感慨萬千的說：

『可是，真正來到我故居門前，我反而不認識了，因為大門那牆和大門本身，以及左鄰右舍的門和牆，破爛的程度簡直像是貧民區。』

『跨入大門就是四合院，正面面對大門這一排四間的房子，明明就是當年我住的，但是看上去又絕對不像，因為門和窗沒有一處是完整的，門上有洞，窗櫺這兒缺一根，那兒少一根，房子搖搖欲墜，好像屋頂隨時會塌下來……和一般大陸人民的家一樣，家徒四壁，除了床還是床。』

『碰不見故人，只見殘破得離譜的故居，心情失望難過，所以就匆匆離去。』

『兒時，我在大陸好幾個城市住過，這次旅遊大陸，也曾經找到幾個「故居」，我實在不敢相信我的眼睛，因為當時我家雖不是富豪人家，但絕對不算是貧寒，為什麼現在我所看到的故居是破落戶一般呢？』

『到了中國大陸後，我好像返回到人類居住的石器時代。』

行到水窮處　坐看雲起時

《大陸去來》一書，沒有奇峰突起的高潮，沒有引人入勝的情節；可是作者深情的表達，理性的明辨，灌注在篇章之中，滲透於字裡行間。是以篇篇作品都鏗鏘有聲，一字一句都流露著真誠的情意、深刻的感受，給予讀者的震撼力是深沉而長遠、刻骨而銘心的。

『遊過大陸，才使我對臺灣經濟繁榮、民生富裕、人民食衣住行水準之高，不僅驚訝，而且佩服，我知道這不是意外的奇蹟，這是一千七百萬在臺灣的中國人民，在中華民國政府正確的領導下，奮鬥、努力的結晶。身為「美籍華人」，只能站在一旁祝福，也希望臺灣的中國人民好好珍惜這份福氣，千萬不能人在福中不知福。』

作者在遊完大陸，目睹過各種悽慘的景象之後，不由自主的要責問：

『在這兒，我不禁要問中共統治大陸三十年除了鬥爭和動亂之外，到底搞了些什麼？』

「要想生活好，跟著臺灣跑。」封閉了三十年的大陸，今天輕輕啟開一道窄縫，就把光照環宇的民生主義的光輝投射進去，給陰暗淒冷的大陸一點光明和溫暖的希望吧！

除了不是「美籍華人」之外，我和作者的遭遇有些相似，思鄉念親之情時時都啃噬著我的生命；雖然我也讀過不少刻劃大陸生活的作品，但大部份作者都是抱著文學表現的態度而為之，難免顧此失彼。所以，要特別感謝朱君逸先生在《大陸去來》一書中帶來了這麼珍貴的消息。

我這篇《大陸去來》的讀後抒感，正如中國時報在「連載前的話」中所云：「從根看樹，由小見大」，讀者若想一窺全貌，細細品味「大陸去來」，必能對中共四十年來在今日大陸的所作所為有深一層的認識。

・民國七十年二月發表於《明道文藝》五十九期

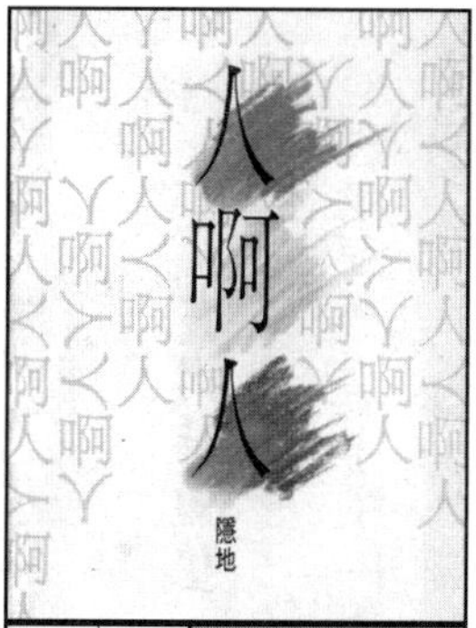

識盡千千萬萬人

・評介隱地的《人啊人》

出版：爾雅出版社

萬仞探天闊　但覺星辰奔

從事文學創作的作家群中而又兼掌出版事業的，在臺灣可說是為數不少，隱地就是其中之一。但兩者皆能兼顧而不偏廢的，為數就不多了。

隱地除了在民國六十年以前分別由皇冠、文星、大江、華美及大林等出版社和書店，先後出版了五部作品之外，其他的作品，都在爾雅出版。而且，早期的五本作品，除《一個里程》和《反芻集》外，最早的三本，也曾在爾雅重新出版。足見隱地的作品受到讀者歡迎的程度了。

《人啊人》是一九八七年三月作者的第十六本作品集，從表達的方式看，與一九八四年九月出版的《心的掙扎》以及一九八九年五月出版的《眾生》十分神似，同是富有哲理的短小精純的作品。直到今年七月，作者將以上三書都為一書，並以二十五開本彩色精印稱之為「人性三書」合集，重新面世，這本厚達三五〇頁新版的《人啊人》，更值得品讀珍藏。

大家都知道，在所有文學作品中，最精純、最簡潔、最含蓄，而且最有趣味、最富深刻內涵的，當屬詩、詞了。由於在詩、詞中對文字運用的高度技巧，便產生了濃縮與凝聚的效果，充分發揮了文字的張力與魔力，是以能獲得廣大讀者的共鳴與神往。

而《人啊人》一書，雖然不是詩，卻充分掌握了詩人寫詩時對文字的駕馭及組合的技巧，使讀者在不知不覺之中，經由作者的暗示、誘導，雖寓跡塵中，而棲心世外，隨之奔向一個啟發人性，淨化心靈，超群脫俗的神造之境。若朗朗夜空中，群星羅列，閃閃的光亮，跳動在你我的生命裡似的。正如朱晦菴送林熙之詩云：

仁體難明君所疑，欲求直截轉支離。
聖言妙蘊無窮意，涵泳縱容只自知。

叢樹時彌望　荒畦不見花

作者在《人啊人》一書的卷首，有一篇以〈我願〉為題的短文的最後寫著：

我願寫下：我看到的、聽到的、想到的、感覺到的，……使每一個在茫茫天涯路上奔波的人，能駐足能回首，也想想自己正走著的路……人活著，總要思索，總要品嘗。

這大概就是一般書籍在序文中對寫作本書動機、意趣的自剖吧！《人啊人》一書，可以說是現代人生的一部縮影，其中有你、有他、當然也有我。這本書沒有人物、沒有故事、沒有情節、沒有糾結、沒有高潮。但只要你肯思索、肯品嚐，最初你會認為該書都沒有的卻隱隱約約中又樣樣具備呢？如〈愛情〉、〈婚姻〉及〈家啊，家！〉。〈青年〉、〈中年五說〉及〈老之種種〉，以及〈二十六個我〉等篇章。不就是一個人一生的寫照嗎？

《人啊人》一書，語淡意濃、語少意足，有無窮之味，有無盡之意。如〈家啊，家！〉一文中：

家庭的快樂，租費昂貴，你收穫一分快樂，就必須投下七分苦痛。
家，使我們成長。家，使我們消瘦。
家，使我們快樂。家，使我們蒼老！
家，就是這麼一個讓我們怨，又使我們愛的地方。（頁150、151、152）

相信大家都有過這種感受，因為人人都有家。

我們生存在這個衣冠楚楚的人群裡，你知道你是一個什麼樣的人嗎？即使知道，也可能是一知半解或知之不詳。

人並不是吃飽了就沒有問題；常常，吃飽之後產生的問題，比只是挨餓受凍的問題還嚴重、複雜！（頁188）

任何一個人，在群眾裡，他是一個外在的我，再對自己，他又有一個內在的我。人的角色千變萬化，有時我們說謊，要不是自己的耳朵聽到自己的聲音，人，誰肯相信自己也會說謊。（頁191）

今日社會，誰都知道真正的明山秀水，皆在鄉村，而都市只能用壁畫、壁毯來代替，可是，大家都拼命往都市裡擠。

生活在今天的都市裡，其實就是生活在原始森林裡。……像極了森林豺狼虎豹。馬路固然危險，處處陷阱，而走在人海裡，更要時時當心，多的是鼠蛇和狐狸。（頁197）

萬塵人聲動 一卷世事忘

中國的經書，希伯來的新舊約，印度的吠陀以及哲學家的箴言，聖賢偉人的座右銘等，都在靈光閃動之中，散發著人生的真理，乃至智慧的火花，使人們枯澀的心靈得到了清爽的潤澤，也使人們徬徨的生命得到了溫馨的依附。

《人啊人》雖是另一種文學的風貌，整本書著墨也不多，但每一個文字都呈現著珠玉光澤，每一個文句都發出金石之聲，每一個片斷都蘊涵著明澈靈光。這些短句篇章在表面上似乎是互不統攝，但其在夾敘夾議的平實的文句中，對人生的真切體悟，至情至性的確切表達，都流露在字裡行間。彷彿是前後左右鏃然而集的光芒，相互映射，在我們混混沌沌的生命裡，透進了一線柔輝，突然的明亮起來。

《人啊人》整本書的一則一則的精簡絕妙的短章，正如清初葉燮喻詩文如雲之萬態。雲之色相，雲之性情，無一相同。雲有時歸，有時一去不歸，有時全歸，有時半歸，無一相同。此天地自然之文。古人所謂「煉字不如煉句，煉句不如煉意，煉意不如煉格」；《人啊人》是別具一格的作品。別具一格的作品，當然需要讀者們慧心獨具的去慢慢品嘗、細細咀嚼，才能領悟到其中的甘美之處，絕妙之境。

《人啊人》新版最大的改變如下：

❶新版的《人啊人》改版二十五開，並將《心的掙扎》和《眾生》三書合並為一書，而為

「人性三書」合集。

❷新版的《人啊人》以彩色精印出版。

❸新版的《人啊人》刪去了〈字母狂想曲〉、〈就從這個暑假開始〉、〈影響力〉等篇章。以及各篇章發表的日期、報刊和主編大名。

❹新版增加了〈人啊人〉、〈有人〉、〈落花浮雲〉、〈人〉〈發現〉以及〈傷心史〉等標題。

❺新版《人啊人》、修辭潤飾更求精準，如：

〈愛情〉篇新增「愛情像食物，它會壞的。」（頁141）

〈有人〉篇1、2兩則對調。第11則：

每個人都有自己的人生哲學。（舊版頁36）

人人都有自己的生存哲學。（新版頁156）

〈落花浮雲〉篇，第14則：

每一件事會過去的。（舊版頁61）

傷心也好，快樂也好，每一件事都會過去的。（新版頁174）

〈男女〉篇新增第17則：

男人和女人合而為一成為大地上一條美麗的動線。

以上列舉，只是隨意翻閱之中，就有如此的改易，足見作者的用心。讀者如能仔細品讀，當有更多的發現。

「人性三書」的合集，作者仍以《人啊人》為書名，可以窺知作者對《人啊人》一書的偏好，所以，請容我以《人啊人》為主軸，略抒個人讀後感受。有關《心的掙扎》和《眾生》恕我賣個關子，不再敘述，留待讀者親自去品讀欣賞吧！

讓春天重新嫵媚，讓河水重新碧綠，讓人們的心靈潔淨如嬰兒吧！（舊版頁156）

就讓我以〈字母狂想曲〉的最後一句話，作為人類共同的追求的理想。也以舊版全書的最後一句話作為本文的結束。

燈下，一卷在握，這是多麼逍遙舒適的夢啊！

・民國七十八年三月初稿發表於《中市青年》五十五期
・民國九十七年一月修訂發表於《明道文藝》三八二期

彭端淑為學妙語錄

人之為學有難易乎？學之，則難者亦易矣；不學，則易者亦難矣！

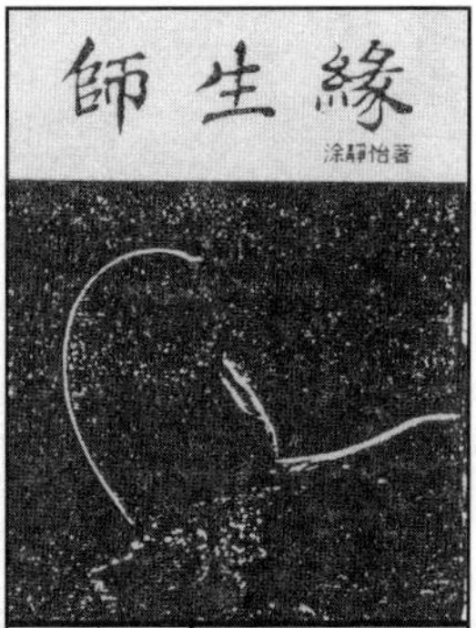

人生長恨水長東

‧評介涂靜怡的《師生緣》

出版：采風出版社

芳草牽愁遠　丁香結恨深

生活在二十世紀的人類，拜科技一日千里進步神速之所賜，使得人們在物質欲望的需求上，得到了更多的方便、舒適、享受與滿足。現代的家庭，在經濟上，富足寬裕、條件優越，不虞匱乏。是以，衣有彩飾，食有美味，住有華屋，行有轎車。遇炎夏則有冷氣開放，逢寒冬則有暖氣流動。家家戶戶，都有電話、電鍋、微波爐，更有電視、冰箱、洗衣機；真可以說，應有盡有，無一或缺。想必即使古代的君王將相，置身在今日社會，也該心滿意足，別無他求了。

然而，天下的事，有其利，必有其弊。我們既享有了科技帶給我們的富足與幸福，當然也必須承擔因科技所附帶而造成的災難與禍患。

有車、有船、有飛機，固然在行的方面便捷得多，也縮短了人與人之間的距離；但空難、海難和車禍的事件，時有所聞。單是因交通事故而死、傷的人，年年都有增多的趨勢。這真正是令人聞之寒心，睹之喪膽的殘酷事實。

被譽為愛國詩人的古丁，在五十四年第一屆國軍新文藝金像獎創辦之初，即以一部長達一千二百行史詩「革命之歌」，獲得新詩獎的殊榮。然而，這位握著如椽之筆。筆掃千軍的詩人，且不幸於七十年元月二十七日因為車禍猝然去世。較古丁早死的詩人楊喚及比古丁較晚謝世的詩人沙牧，都是因為車禍而喪生。

不管你對死抱持著什麼樣的看法，也不管人死了之後是否有靈有知；但對活著的親朋好友，那的確是一種沉痛的重擊。

《師生緣》一書，就是女詩人涂靜怡於詩人古丁猝然而逝之後，在極其悲痛之際，將深藏於心的那份聖潔而真摯的師生之情，流露在字裏行間的一本書，至情至性，感人肺腑。這不僅僅是在字裏行間披露出「情逾父女」的師生之情，詩人涂靜怡更把對古丁的崇敬提昇到神的境界，這真是世間少有。

誠如涂靜怡在〈溫暖的迴響〉一文中說：

> 我不是教友，不會祈求上帝給我什麼，但我心中有神，古丁老師，你就是我最崇敬的神，請您賜給我力量，讓我克服困難……讓我學習把悲痛化為力量，多為多難的國家盡一份心力。

雙目剪秋水　十指剝春蔥

《師生緣》一書，收錄了二十三篇作品，其中除了〈沒有詩的日子〉和〈秋水十年話甘苦〉兩文之外，其他都是詩人涂靜怡寫給古丁先生的書信。作者書前的序文，書後的後記，都足以幫助讀者瞭解全書的梗概與文章的風貌。另外書首也冠以詩人文曉村以「敬報師恩昊天情」為題的序文；在書後也附錄了麥穗、陳寧貴、汪洋萍、藍雲等四位詩人評介的文字。

詩人涂靜怡走上寫作的路，幾乎完全是受了古丁的循循誘導。

> 寫詩只是偶然的一種機遇，編詩刊，完全是為了報恩……我很感激每一位給「秋水」寫稿的朋友，你們的支持以及對我的包容，我只有時時刻刻銘記在心。辦詩刊，是一種完全要奉獻的行業，需要有人鼓勵才會有信心繼續下去。未來的「秋水」，不會有太大的改變，這「路」是古丁老師走出來的，我將循著他的腳步繼續走下去。（頁206）

古丁先生被譽為愛國詩人，所以，在潛移默化的感染和薰陶之下，詩人涂靜怡潛藏在內心深處愛國的赤忱也強有力的表現在她的作品裏。

> 我誠懇地建議政府和民間共同來出錢出力，還一適當的地點，建一座「八年抗戰紀

念公園」。公園裏修建一「八年抗戰史料陳到館」，將現存有的有關八年抗戰侵華的新聞資料、著作、圖片、影片等加以整理……再把日軍七三一細菌部隊以我的同胞當作動物做細菌試驗的事實繪成卡通片放映。再在公園裏建立「南京大屠殺」死難同胞三十萬人塚，在塚前立碑銘文記述其事……。要使我們現代及後世的中華兒女，要牢牢地記住那些血淚教訓，奮勵自強，不要讓歷史的悲劇重演。（頁163）

除此之外，作者更以長詩〈從古難中成長〉榮獲十四屆國軍文藝金像獎。六十九年又以〈歷史的傷痕〉獲得中山文藝獎的殊榮，這的確是作者勤奮努力的結果。值得今日有志於文藝創作的青年朋友們作為借鏡。正如詩人涂靜怡在後記中說：

我深信，人與人之間的交往，是要靠「緣份」的。如果沒有緣，我不會認識古丁老師，不會那樣幸運地，接受他整整十年的教導。也不會走上寫作的路，不會有「秋水」更不會有今日的我。

《師生緣》一書，有流暢的文筆，感人的內容，孺慕的真情，刻骨的感懷、沈痛的追思。真可說是有血、有淚，值得去仔細品味，沈醉其中的一本好書。

・民國七十八年五月發表於《中市青年》第五十七期

詩篇落處風雲動

·評介蕭蕭的《青少年詩話》

出版：爾雅出版社

培養一顆仁善的心，要從青少年開始。
培養一顆懂得欣賞自然、欣賞人生的心，要從詩開始。
所以我編寫青少年詩話。

從六十六年出版詩評專集《鏡中鏡》到七十六年出版多達二十八萬字的《現代詩學》，詩人蕭蕭在現代詩，所作的評鑑、賞析、導讀及推展的工作可以說是不遺餘力，成就非凡。

在詩序中「先王以是經夫婦，成孝敬，厚人倫，美教化，移風俗」足以證明詩的教化是多麼重重，其功效又是多麼深遠寬廣。蕭蕭雖然在現代詩的傳播上投注了不少的精力，但不可否認的是，奠基、札根的工作仍是不可忽視的，所以，在《青少年詩話》一書序文的開端，就揭示了該書編寫的動機和旨趣。其在序文中又說：

青少年的可塑性極大，因此，在這本書裡，我不是硬生生的指示方法，教他們如何鍊字，如何鍛句，如何寫；那就失去了欣賞詩、創作詩的無盡意義，斲傷了青少年心靈發展的無限生機。我要做的是：教他們如何思考，如何藉著身旁的媒介物去觸發他們無窮的想像力。

基於此一信念，作者在整本書中，都是以最平實的文字，最貼切的事理，最明確的詩例，深入淺出，循循善誘的，把青少年朋友引進了詩的殿堂，得以一窺殿堂的華麗，神奇與奧妙。

《青少年詩話》共分三輯，輯一是：基本詩觀十二則；輯二是自然詩論十二品；輯三是國中國文教科書新詩賞析七首；另附錄有講授一首現代詩的準備。

作者在第一輯裡，從〈什麼是詩〉開始到〈怎麼樣才算完成一首詩〉結束，提出了十二個問題，闡述創作詩的不同方法和途徑。除了〈什麼是詩的語言〉一文未提出詩例之外，其他皆有詩或詩句為例，來印證作者所欲闡發的論點。

在〈什麼是詩的語言〉一文中，作者就用了一個人人都熟知的事物，作了很巧妙的比喻：

譬如米，可煮成飯，磨成粉，炊成糕，碾成漿，爆成花（爆米花），這些東西，本質上都沒有改變，只是外形因為加熱加壓而有了不同。真正改變本質的變化，卻是促使未發酵，使它釀成酒的過程。我以為散文技巧的變化就是米飯、米漿的相異，而米釀成酒的過程也就是情思醞釀為詩的過程。散文像米，可飽人，詩卻像酒，容易使人沉醉！

寫詩時記住「一精二舞三重複，四美五韻六不盡」，就能駕馭住詩語言的特色，創造出新的詩語言！

比喻，在日常生活中，與人交談時不能少，在提筆寫文時，更是不可或缺，尤其是寫詩的人更當善加運用。如：「君子之交淡若水，小人之交甘若醴」，「暴跳如雷」，「如花似玉」，「舊恨春江流不盡」等，俯拾皆是，不勝枚舉。

作者在〈如何活用比喻〉一文中，除了說明比喻的義理外，更舉了不少實例。如：

「我像天空裡的一片雲」

「我是天空裡的一片雲」

（徐志摩詩句）

甚至於，我們還可以把「像」、「是」等字省略：

「你像熄了的火把，涸池裡的魚。」
「你是熄了的火把，涸池裡的魚。」
「你呀！熄了的火把，涸池裡的魚。」
（楊喚詩句）

透過作者的分析，舉例，相信讀者們更能瞭解，活用比喻，在詩創作上所具有的神妙之處，更可以使你創作時，在詩的質素上富有無比的情趣。

在第一輯裡，作者提出不少詩創作的途徑，對新詩創作有興趣的青少年朋友，讀過本輯，一定會有不少的助益。

《青少年詩話》第二輯，作者完全是因目有所視，心有所感的，從自然現象的林林總總中，體悟出詩與自然融合相接的神妙之境，將人生活在自然之中所獲得的養分，透過人體的接受、消化、融合，再藉著一支彩筆，表露出一首首的詩篇，呈現著人與自然，自然與詩相輔相成的天籟樂章，真可謂「萬物靜觀皆自得」，細心體會，必有所獲。

《青少年詩話》的第三輯，是作者依據國中國文教科書中所選錄的新詩詳加分析、介紹。其中除了對詩作，以不同方法詳加評介外，更對作者生平，事跡作了最扼要的簡介。相信這一輯的幾篇詩的評論分析，對在國中任教的國文教師，在講授這些新詩的作品時，會有莫大的助益的。

當然，對青少年朋友來說，你會對詩的欣賞和創作，有更深一層的認識和領悟。所謂「好書不厭百回讀」，「書當快意讀易盡」；《青少年詩話》一書，正是今日青少年對新詩創作有興趣的人，認識詩、瞭解詩、欣賞詩以及創作詩入門的初階，不可不讀。

．民國七十八年六月發表於《中市青年》五十八期

發憤識遍天下字，
立志讀盡人間書。

韶華不為少年留

・評介朱炎的《我和你在一起》

出版：九歌出版社

曾經是「顛沛流離、艱辛備嘗、流亡學生」的朱炎，曾經是「迭遭挫折，留級補考、失戀出醜」的朱炎；如今卻是文哲博士、臺大教授、文學院長。這種艱苦奮鬥的歷程，真可以說是「一番風雨一審寒」了，所謂「寒天飲冰水，點滴在心頭」，不是自己舉步走過親身體驗，是很難了然其中的苦況與個中滋味的。正如作者所說：「好多人只看到成功者的光彩，卻看不見人家奮鬥的路程上所流的血汗、忍受的痛苦。」這不正是作者成長歷程的最佳寫照嗎？

《我和你在一起》是作者在中華日報「青春天地」版連載的一系列寫給青年的文章。該書收錄了五十五篇精簡而蘊藏著無限愛心的短文。作者在作品中透出一片誠摯的真情，與青年把杯言歡，促膝談心，從不曾使青年人感到道貌岸然，只「訓」而不「導」的，有絲毫說教的意味。

教書的人往往對自己的孩子有足夠的愛心，但卻不像對待學生那樣，心懷足夠的耐心；對待學生雖有足夠的耐心，但卻很難像對待自己孩子那樣，心懷足夠的愛心。

如果子女是父母血緣上的繼承者，那麼，學生就是老師心智上的後裔。老師對學生的愛和父母對子女的愛，容或表現方式與程度不同，其愛的本質，應該是一樣。（頁202）

試想，作者把學生當子女一般的訶護，這種愛青年如子女，平易近人、親切溫馨的風範。青年人即使不能夠個個都做他的入室弟子，執經問義、親聆教益，但能勤讀該書，雖宮牆外望，亦可收「如坐春風、時雨之化」的效果了。

大學四年，應好好利用，為此生的學識和事業，打下堅實的基礎。應自由自在，無牽無掛地上課，聽演講、自修、思考或參與活動；不應該為自己綑上愛韁情索，把大好時光耗費在等人、遷就人或拌嘴鬥氣等愛情遊戲上。（頁105）

無容置疑的，當你十四、十五年少時，在三年國中勤奮苦讀，經過聯考，升上高中；高中三年，亦復是兢兢業業，三更燈火五更雞的不敢稍有懈怠，又經過三年煎熬，與十萬青年較勁後，終於擠進大學的窄門。如脫韁的野馬，驟然一躍而起，掙脫了多年來禁錮自己的狹小範圍，面對著這麼遼闊的世界，誰不想盡情奔馳跳躍，舒展舒展筋骨，放鬆一下自己，呼吸一些「新鮮」空氣，趕搭時髦的流行的愛情列車，發揮生命的潛力頻頻出招，一試身手呢？於是，在大學校園，不少的青年男女，尚未真正的先享受到愛情的甜美，就可能已嘗到愛的苦澀了。

人與人的相處，就像冬夜群聚的刺蝟，離得太遠，不夠溫暖，擠得太近，又會彼此刺傷。（頁190）

為人處世，要堅持原則，腳踏實地，才能由邇而遠，由卑而高漸漸接近理想的境地。

在這麼一個非常的時代與社會裡，我們卻更要有所為，有所不為，有所變，有所不變；這是做人的道理，也是生活的藝術。

人生的價值，不在於高官厚祿，浮名虛利，而是在於為了理想而堅持原則；人生的樂趣，不在於繁華世界中的聲色犬馬，而是在於靈、智、肉三者的統一與諧和。（頁194）

年輕的朋友，你應該把更多的時間和精力花在改善自己性靈的生活上；不要將之浪費在衣著打扮或應付複雜無益的人際關係上。（頁247）

中國人一向重視倫常關係，有了倫理觀念的建立，自己的角色定位，就不會發生偏頗，使個人的言行舉止有所逾越。然而，處在今日複雜多變的社會，個體與群體間的權利義務也有了明顯區分的必要，於是李國鼎先生提出了第六倫—「群己」關係。外國朋友們常說我們的人情味很濃，我們也常常以自己有高潔的操守而自負。然而，今日社會，生活富足，教育普及，可是，使我不解的是，何以我們的「亂」、「髒」每下愈況呢？究其原因，可以說是「公德心」低落，群己關係不彰所造成的不良後果。所以，我們必須從「群己」關係的確立，培養「公德」心著手，是培元固本的工作，不可怠忽兒戲。

朱炎先生在《我和你在一起》一書中，推心置腹，小心翼翼的為青年們點亮了一盞明燈，使青年們不至於摸黑夜行，飽受驚慌之苦，而能順利在求學生涯中，有所依循。

正如朱炎先生所說：

請各位趁著青春年少，早日進入做學問的那個「不假外求，不會蝕本，不會出毛病的趣味世界」。（頁20）

讀書再苦，結果總是甜的，嬉鬧再有趣，結果卻是苦的。（頁60）

大家都十分喜歡的「吳姊姊講歷史故事」的吳涵碧小姐，正是邀請朱炎先生在「青春天地」開專欄的催生者。其在《眼淚、苦酒、真性情》一文中的結尾說：

在濁世滔滔之中，有朱院長這般的傻人，用一種純真的情操，去愛我們周圍的人，去提供《我和你在一起》的關懷，去愛我們追求的理想，真好！

我相信，當你讀完了這本書，也會有同樣的感愛！

・民國七十九年五月一日發表於《中華副刊》

朱熹妙語錄

無一事而不學，
無一時而不學，
無一處而不學。

桃花流水在人間

・評介傅佩榮的《開拓心靈的世界》

出版：業強出版社

「生年不滿百，常懷千歲憂！」因為人們有「憂」的根深植在心田，所以就自然而然的長出了「愁」的枝，「煩惱」的葉來了。設若你沒有一把智慧型的鋒利的斧頭，從根砍斷，連根拔起，這些繁茂的枝枝葉葉，就會覆蓋著你，糾纏著你，使你喘不過氣來，最後，很可能導致你生命的樹逐漸衰敗，逐漸枯萎！

梁任公以為人之所以會「憂」是源於「成敗」和「得失」。偏偏人們就是無法能夠置成敗、得失於腦後，即使是在紅塵滾滾中飽經風霜，迭受磨難的人，恐怕也不能夠完全擺脫，因為，無入而不自得的那種胸襟，究竟不是人人都能具有的。更河況是那些涉世不深、童心未泯、純潔無瑕的青少年呢？

如果真的是肇因於成敗得失而憂，衍生出愁與煩惱的話，也就無可厚非了。但奇怪的是對青少年來說，愁與煩惱，像一陣突來的風，捉摸不定，無影無蹤，時時刻刻都會翩然降臨，使你猝不及防的就圍困著你，讓你無法脫身。你到底為什麼會拘困在如此窘迫的地步呢？是因為課業上的負荷？考試上的挫敗？物質上的匱乏？精神上的空虛？心志上的迷惑？情感上的困擾？也許只是其中的一部分，也許是都有那麼一點點。當你心中的難言之隱，既不願向父母提出，更不敢對師長表白，也不想對好友傾訴。這時候的你，禁不住的會在心中吶喊著：「真煩死人了！」於是，緊鎖的眉頭，沮喪的表情，哀怨的嘆息，悲悽的心靈，使得你陷溺於痛苦的深淵，愈陷愈深，無力自拔！

當你在徬徨無助，四顧蒼茫，不知何去何從之際，你是否會想到：

「人活著究竟是為了什麼？」

「人生的意義又是什麼？」

你對自我的存在，有了如上的思考，就觸及到對人生的闡釋和價值取向的核心問題了。人生的問題，正如傅佩榮教授所說：「不外乎是生老病死的處境，窮達順逆的際遇，以及喜怒哀樂的感受。」但是，遇到了上述種種的問題時，你抱著什麼態度呢？「為什麼有些人樂觀奮鬥，有些人悲觀洩氣？有些人珍惜每一分每一秒？有些人卻像失舵之舟隨波逐流，浪費生命？」其中最重要的關鍵，就在於你對人生的闡釋和價值的取向所決定了。

「燈塔之子傅佩榮」的確是受到他父親職業上潛移默化的陶冶，在茫茫人海中，擔負起燈塔的重責大任了。正如該書附錄中彭歌先生所說：

哲學猶如人生汪洋大海中的燈塔。登臨望遠，面對茫無際涯的客觀世界，傾注愛國、愛人、愛學問的精誠，孜孜矻矻，要為這個時代有所貢獻，傅佩榮是有這種精神的。

《開拓心靈的世界》是傅佩榮教授特地從多年來所寫的文章、精選適合青少年部分，編排出版。全書除附錄外共分四輯：輯一「點點星光」，輯二「愛智之旅」，輯三「人生線索」，輯四「我的成長」。

- 人生像一本空白的書，你可以任意寫出自己的生命歷程。
- 人的潛力，從生理到心理到精神，都有無限開發的可能。
- 在生命之流中，沒有巨石當道，是激不起飛揚的浪花的。人的無限潛能，也往往在面臨險阻災厄時，閃現驚人的異彩。
- 自私自利的人並不需要地獄的懲罰，他們給自己的煎熬已經足夠了。
- 一枚小小的桐板，如果在眼睛前面太近的話，也會遮蔽所有的陽光。

・人間處處都是鏡子，敏感的人隨時可以自我反省。

以上信手摘錄的是輯一中〈靜思一得〉裡珠玉圓潤，靈光乍現，充滿了哲思意味的格言妙句，發人深思，啟人妙悟，只要你靜下心來去細心品味，必能如入寶山似的滿載而歸。輯一中的人生小語，都是未超過三〇〇字精簡短文，如〈認識自我〉一文中：

心靈像外貌，也須定期整飭，如果任它荒疏，難免雜草叢生，讓人不識本來面目了。

其他各篇也都有發人深省的充滿智慧的格言。

愛智之旅中的十二篇作品，除首篇〈生活就是哲學〉外，其他從〈如何運用思考〉到〈如何掌握機會〉等十一篇作品，皆以「如何」開端，顯然，作者的用意是引導青少年朋友「如何」去獨立思考，「如何」去掌握自己，「如何」去迎接挑戰，「如何」去尋求樂趣。這對飽受升學壓力而苦不堪言的青少年朋友來說，無異是炎炎夏日裡的一副清涼劑，冷冷寒冬裡的一抹暖陽；使得青少年朋友感到無比的舒暢！

・愛是光，像燈塔之光，能在人生茫茫大海中指點方位。

・愛是一根魔棒，可以點石成金。

・愛的力量也許表面波平如鏡，內在卻充滿無限生機。

・愛的種類固然不只一種，但是真愛一定向著對方的無限價值領域發展，同時也使自己躍入無限的奧秘境界。

・世人的戀愛往往顯示瘋狂的一面，卻缺乏任何神聖的意味，因此走的是下降之途而非上升之途。

輯三中的十九篇作品，焦點聚集在「愛」與「自我」兩個核心觀念的探討上，也許這兩大問題，正是青少年最關心的原因。

以上文字就是從人生線索裡各篇文章中摘錄下來的。讀了之後，你一定會心有戚戚焉的感受。

基於開拓青少年閱讀領域的理念，業強出版社經過長達兩年時間的策畫，推出了青少年圖書館一百本書中的第一本。並以創刊紀念版特價四十九元優待讀者，對青少年朋友來說真的是有福了。但願業強出版社能投注更多心力為青少年朋友服務，搜羅並出版更好的作品，讓我們拭目以待。

・民國八十年一月四日發表於《台灣日報副刊》

管絃音律試翻新

・評介傅佩榮的《確立生命的原點》

出版：洪建全基金會文經學苑

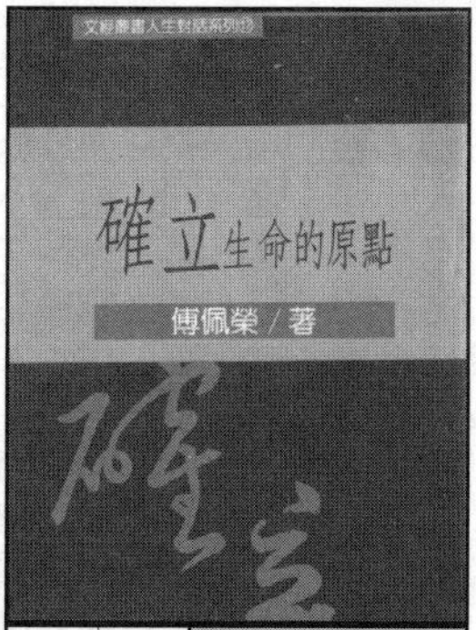

今日學子，在聯考領導教學的情勢下，真正能夠領悟到讀書的樂趣的，可以說是鳳毛麟角，少之又少了。至於說能苦思力索，困心衡慮，妙悟理趣，深造有得的，那更是如曉日星辰，寥寥無幾了。隨園詩話有云：

> 蠶食桑，而所吐者絲，非桑也；蜂採花，而所釀者蜜，非花也。讀書如吃飯，善吃者長精神，不善吃者生痰瘤。

為學者果能如此，始能達破卷取神之效果。所謂博觀而約取，厚積而薄發。故古人亦謂：

五沃之土無敗歲，九成之臺無枉木；飲於江海，杯勺皆波濤；採於山藪，尋尺皆松樅。

善讀書多讀書，雖非立竿見影，但其耳濡目染之際，其功效必能隨日彰顯，形現於外，表露無遺。

今天教育普及，人人皆能如坐春風，仰沾時雨之化，弦歌不輟，誦書於校園之中，小學之際，即時聞孝道之義理，然而，即使是大學畢業，能讀完孝經者究有幾人。同理，在國中時就曾授儒家之學，經過高中，再入大學者，又有多少去鑽研深究儒家學說的精義呢？這實在是值得深思的問題。

傅佩榮教授除陸陸續續在報刊雜誌上有不少的篇幅，闡發儒家學說的義理外，結集成書的，除《四書小品》，尚有《確立生命的原點》及《圓成生命的理想》等書。後者二書，是作者於八十年四、五月間應洪建全基金會文經學苑之邀，為數十位社會人士探討儒家學說所作的演講。然後將儒家十講，整理成書，分為兩冊，由洪建全基金會文經學苑精印出版的。

現在我們就來看看《確立生命的原點》這本書。

《確立生命的原點》一書共包括四章：

❶理性開放的人文主義。

❷人生之道的同與異。

❸家庭與人性的原始面貌。
❹人際相與的層次及限制。

在四章之中所研究探討的問題有：孔子的成長經驗，人生不可無志，理解人性三部曲及擇善固執的途徑等。每一章的後面並附有探討某一問題時所參考的資料。這些資料大部分出自論語，孟子；中庸雖有，但所佔比例不多。

另外，在第三章之後，還引用了詩經蓼峨篇的章句。全書之後並附錄了三十餘頁的對話，其中皆是聆聽傅教授的演講之後，心有所惑所提出的問題而傅教授再一一作簡潔扼要的解答。

人生在世，必有其賴以生存的文化背景，而文化背景又不能脫離傳統；脫離傳統，就會高懸架空而不切實際。所以傅教授說：

> 要想掌握中華文化的傳統，就必須掌握其理念。中華民族的理念是由儒家塑成的。但是當一種理念做為文化的主導原則，並發揮作用，難免在歷史過程中受到各個時代之利用並受到人性弱點的曲解。
>
> 有些人以為，研究儒家就會帶來所謂的「傳統的包袱」………其實並非如此單純。因為善、惡的出現並非可以由外表明確指出的，而是要考慮自己心安與否。（頁32）

對那些只是一味排斥、拒絕、扭曲、誤解而又不願去加以深究鑽研儒家學說的人，是不是該深思一番反省一番了呢？

知道了人與傳統文化不何分割的原因，也知道儒家學說在傳統文化中所應有的地位，更瞭解了研究儒家學說所應秉持的態度之後，接下來該探討一下如何培養自己的興趣，扮演好個人在生活中的角色。

在此一問題上，傅教授提出孔子所說的「志於道，據於德，依於仁，游於藝」的話來加以闡釋。最後歸結起來說：

> 「志於道」是志於人類普遍的正途。
> 「據以德」是就個人處境所表現的自我要求去實現它。
> 「依於仁」是說，我這一生都離不開仁的範圍。
> 「游於藝」，藝代表技術或藝術，即是古代的六藝，指人在時空中所能掌握的生活方式。（頁44）

經由這四句話，已經把塵世滾滾的人間諸多複雜的人生現象，透過了人們明智的選擇，具體而微的表現了出來。而且，人們為了扮好自己的角色，也有了依循的準則，生活的模式。

然而，人離開了群體，個人的生活就失去依託和憑藉，這是不容置疑的。所以，有「一日之所需，百工之所備」的說法。

因此，人活在世界上，需要一個個生命的圈圈，從內及外，由核心往四周擴散，而圈圈的核心，最自然的就是家庭。（頁106）

儒家學說之所以普遍受中國人肯定，在於儒家是由家庭開始，再建立正常的生活秩序。這合乎生理、心理、倫理上的要求，一個人，無論是老或少，都需要滿足這一點要求的。（頁110）

墨子的「兼愛」，基督的「博愛」，這只有那些偉大的宗教家及神職人員，以及那些具有寬宏的胸襟；高尚的情操，犧牲的精神、奉獻的情懷、始能如此；至於說終生庸碌，泛泛之輩如你我一般的升斗小民，要能達到如此至高無尚的境地，實在不是一件容易的事。所以，儒家那種由親而疏，由近而遠，由自我的修持養身，再一步步的向外擴展延伸到齊家、治國、平天下的道理。就十分自然，且容易向前推進，漸次實現的境地了。

傅佩榮教授，在《確立生命的原點》序文中說：

不談生前死後，單就生死之間的道理來看，沒有任何一派哲學勝過儒家。這是我研究哲學二十三年的心得。

我無意像信徒一般的宣揚儒家，我的立論皆以原典為依據，以經驗為素材，並以理性的論辯方式來表達。哲學教我絕不盲目崇拜權威，但是在經過仔細分辨之後，面對智慧與真理時，卻務必虛心受教，否則讀書何益？學習何宜？思考何益？

・民國八十一年一月發表於《中市青年》七十八期

太陽無私四方開

・評介顏崑陽的《傳燈者》

出版：皇冠雜誌社

《傳燈者》一書，是顏崑陽繼民國六十五年出版《秋風之外》的第二本散文集。由於作者在成長過程中所經由的各種歷練，以及今日現實社會所呈現的多樣面貌，使得《傳燈者》較《秋風之外》有了不少的改變，這種改變，正如作者在自序中所揭示的：

『我曾期許自己的散文創作，應有階段性的改變與成長。這種改變與成長；一則來自年歲的增加，現實生活經驗的累積，以及理性的成長；一則來自於時代環境的激變，社會價值的換易。因此，我開始將筆鋒從內在世界的挖掘轉向外在世界的批判。……於是，我為自己釐出了一種創作觀：「對現實世界作明細的觀察，以擇取創作的素材，再經自己內在世界的涵融，以深閎的哲思，將不能無憾的現實世界，提昇到真善美的境界中。」在這一創作觀下，我繼續寫了三十多篇的散文，收錄成集，取名為傳燈者。』

基於上述作者所秉持的創作觀，《傳燈者》所收錄的散文，較之《秋風之外》的作品，其觸角更為深廣，技巧更為圓熟，內容更為豐富，感受更為深刻，表現更為生動。職是之故，《傳燈者》確實是一本字字珠璣，擲地有聲，值得人們去細細品味，慢慢瞭悟的一本散文集。

《傳燈者》一書，首篇是曾昭旭先生以〈未完的蛻變〉為題作序，對作者蛻變的歷程和創作的心態作了詳盡而深切的剖析，可以作為跨入該書殿堂啟開門鎖的一把鑰匙。接著就是作者〈暫立一里程碑〉為題的自序。文集最後，附錄了〈最後生活化的文學——散文〉，闡述了作者對散文創作的一些看法。除此之外，該書共收錄了三十四篇作品，大致來說，《傳燈者》一書有兩種比較強烈而明顯的主題：一是鄉愁，一是對現實世界的觀照。這一點，作者在自序中也有陳述。

顏崑陽的《傳燈者》究竟表現了那些情懷，現在就讓我們走馬看花的來擷取一些《傳燈者》所散發出來的芳香吧！

雲蔽望鄉處　雨愁為客心

鄉愁，從有了人類就相偕而來的一種情感！

這個千古以來的情結，割不斷，解不開，只好任其滋長、蔓延在人們的心田。當然，『父母在，不遠遊』是人人所企求的夢境；然而，有多少人能終其一生享有這刻骨銘心的溫馨呢？

人們為了追求更高理想的實現，改善生活現況的困境，於是，竭盡心智的去追尋、挖掘、鑽研、探索，其方式不一而足。雖然，可以美其名說是『遊必有方』，那也僅是一種安慰自己和親人的唯一的最佳藉口。再加上朝代更替，內憂外患；戰亂頻仍；或征討，或遷徙；人們不得不將深植於泥土的根鬚抽離，若蓬草、若浮萍，隨風飄揚，逐波搖盪，而最後不得不流落他鄉。是以背井離鄉的那種愁悵情懷，就隨即萌發，丟也丟不掉，甩也甩不開；鄉愁，就這樣深切的刺透了你的肌膚，糾纏著你的生命，盤據在你的心靈。因此，鄉愁，就成為文學家創作的素材，也因而豐盈了文學作品的內容。打從詩經而下，各朝各代的詩文中，抒發思土懷鄉的作品，可以說俯拾皆是。

鄉愁啊！的確成了千古吟唱不絕的悲歌。

離鄉二十多年的顏崑陽，年少時，鄉愁就充斥在胸懷，當肩上負起生活重擔後，更體悟到異鄉飄泊，落根無地的痛苦。是以鄉愁也因之而日日明澈，日日實在起來。

在『西川之夢』中，顏崑陽有如下的描述：

『縱使，我繁衍的枝葉將延伸到不可預知的他鄉，我的根卻依然要在你的泥中盤結。』

『假如，我們最大的幸運，是有了扎根的泥土。那麼，我們最大的不幸，就該是失根後的虛懸吧！』

『曾是扎根的泥土誰又能忘卻它的氣息？只是，有些鄉愁已不是言語可以訴盡了。』

同樣的情懷，顏崑陽在《失帆之港》一文中，如此的低吟著：

『西川，失帆之港啊；它失去了風帆，失去了舊有的一切，卻為什麼總失不去我一懷的鄉愁！』

不過是由北到南，僅僅是幾個小時的車程，就可以回到家鄉，療治鄉愁，疏解鄉愁，化淡鄉愁，但咫尺天涯，鄉愁依然縈繞著他。儘管在《失鄉》一文中，顏崑陽的鄉愁仍很深沉，但總算有了退一步海闊天空的想法：

『在這大流落的時代裡，每日穿梭在街坊上的人，有多少個能真正站踏在生於斯長於斯而或將死於斯的國土上！』

『但不管如何，還有一塊想回去就回去的鄉土，以療治我們濃烈的鄉愁，總比許多『有鄉歸未得』者幸運得多啊！』

在《傳燈者》的篇章中，有不少作品或多或少，或濃或淡，或隱或顯的流露著那麼一絲絲的鄉愁。『人情懷舊鄉，客鳥思故林』，所以讀了顏崑陽的《傳燈者》之後，多少年來，權將『他鄉作故鄉』，沉落在心底的那份鄉愁，又浮升起來，擴散起來，久久不能自已。

已行難避雪　何處合逢花

『忙碌，會使人無暇去關心別人，因此現代人多很淡漠；忙碌，會使人無暇去反省自己，因此現代人多很盲目；忙碌，會使人去細嚼生活的樂趣，因此現代人都很煩燥；忙碌，會使人無暇去反芻生吞活剝的知識，因此現代人的價值觀念多混雜不明；忙碌，會使人無暇去讓自然洗滌心靈，因此現代人的心靈多混濁不清。』

由於工商業的神速發展，社會型態的急遽變遷，在這『熙熙攘攘，皆為利往』的時代裡，忙碌，是不可避免的；忙碌，也幾乎成了現代社會的一大特徵，住在都市裡的人，對忙碌的感受當更深切。是以，顏崑陽在《忙碌者的病歷》中，一針見血的刺痛了現代人因忙碌而造成的嚴重病症。當然，設若在這個社會，為崇高的理想，為遠大的抱負，為大我的公利而忙碌，固當受人尊敬。退而求其次，即使是為一己的溫飽，為家庭的幸福，為小我之私利而忙碌，也是值得鼓勵的呀。怕只怕那些為非作歹，行不由徑，為滿足個人的欲求，專做損人利己的事，他們越忙碌，這個社會就越不安寧，那就不是現代社會之福了。所以，作者在〈只見黃金〉一文中，感歎的說：

『若以不正當的方法滿足私慾，或毫無節制地讓慾望氾濫，則一切罪惡便由是而生了。』

基於此種足以令人寒心的歪風，不得不使人懷疑人類先天俱有的良知善性隱藏到那裡去了！所以，作者又如此渴望的企盼著：

『每一個人應該都有兩雙眼睛。一雙長在臉上，用以索尋名利；一雙長在心上，用以正視道德刑法。』

『我是誰？』

『我在那裡？』

『我在做什麼？』

我時常在想，每一個人若能以這三句話，反問自己，提醒自己，勉勵自己；使自己真切的知道自己，使自己所站的地方，所做的事情，都能恰如其分，不要有所逾越，有所愧疚。那麼這個社會就會多一些祥和的氣氛。

在〈位子〉一文中，作者描繪垂釣之徒，以釣是一種藝術為美名；然則，目睹他人有了魚穫時，初則豔羨，繼則妒忌，最後那種獰惡的面貌立刻取代了在『釣』不在『魚』的雅趣。接著又描繪在一列高級車廂中所發生的事：

『歡迎搭乘本列車，請保持車內空氣清新，維護公共衛生，希望旅客合作，祝福旅途愉快』

只要是坐過所謂高級火車的人，總會有溫柔且清脆的聲音傳入耳內。然而，當有人在瞪著眼看著『請勿吸煙』的牌子，而自然的在車廂中吞雲吐霧時，另外一位旅客難以忍受煙味嗆鼻，煙霧遮眼的苦況而請求勸助之際，看著隨車警員，列車長及服務小姐的表現吧！

『這事應該由列車長處理吧！』

『這種事用不著我出面，由服務小姐去開口吧！』

『既然你受不了，為什麼不自己去說！』

所以，對這兩則事件，有了如下的建議：

『在這個世界上，每個人都有他能佔，該佔的位子。而既然在一個位子上了，也當然有他該做的事。我們的悲哀，不只是來自超越自己的位子，再去搶佔別人的位子。相對的，也來自站在自己的位子上，卻不看、不聽、不言、不行。』

在今日的社會上，類此情況，觸目皆是。所以，怪不得作者〈捧心手記〉中，指摘護士小姐服務態度惡劣，甚至和火車售票員及電影黃牛等吵架了。這都是作者據理力爭，雖千萬人吾往矣的真性情的表現。君不見在懸掛著『請勿吸煙』的牌子的，吸者照吸；標示著『請勿停車』標誌的，停者照停；張貼著『勿倒垃圾』告示的，垃圾照倒。類似如此極具諷刺性不合理的現象，比比皆是，不勝枚舉。

在扒手橫行，搶劫隨時都可能發生的街頭，人們的確沒有閒情逸緻像以往那樣優游自得的心情了。在〈沒有導演的一場戲〉中，作者感歎萬千的說：

『走在荒林裡，覺得孤獨，怕野獸的侵略，那是遠古人們的經驗。走在鬧市中，覺得孤獨，怕別人的侵佔，這是現代人們的經驗。』

『在這地方，戲院內看的是一種電影；戲院外看的又是另一種更真實的電影。只是

『戲院外的電影，沒有誰是金像獎大導演，沒有誰是金像獎大編劇。因此，許多演員不知道自己該演什麼角色……』

在分工越來越細密的社會裡，各行各業豈止三十六行甚或是三百六十行。只要人人堅守自己的崗位，勤奮不懈，各施所能，各展所長，一定能生活得幸福快樂。但這只是生存下去的必要條件，除此之外，總該有點更高層次的追求吧！所以作者在〈讓孩子們唱吧〉一文如是的說：

『常常，我們總會感覺到，如今的社會中，無論那個行業，都普遍地缺乏一種情操；一種超越功利價值之上，不為什麼，只為希望把自己該做的事，做到盡善盡美的情操。』

這真是觀察深刻，鞭辟入裡的卓見，一針就刺透了今日社會的痛癢之處，我們雖然置身在一個不太完美也未盡理想的社會裡，但總不能遺世而獨立呀！我們依然得生活在今日社會之中。所以，作者在〈捧心續記〉中說：

『我從不敢期求自己能成為完美無瑕的聖賢，也不這樣期求別人，當然更不期求這個社會成為理想國；苛求完美，有時就是在製造悲哀，但我卻要求自己也要求別人，不要太放縱自己，不要一任自己作無止限的墮落。』

『不能活成一個完人，起碼也活得像個人樣；不能活在理想國，起碼也莫活在糞坑裡——這不該算是苛求吧！』

理想的追求，不可放棄；現實的社會，不容漠視。儘管今日社會千瘡百孔，極待診治，但也並非一無是處。所以在〈捧心手記〉作者又說：

『不要對這社會太失望，每個行業，固然有些拆爛污者，但光明的一面，卻仍是不斷地照耀這世界啊！』

總之，顏崑陽在《傳燈者》一書中，對真實人生和現實社會的批判，隨處可見，還是留給讀者細心掇拾吧！

碧知湖外草　紅見海東雲

作者在最後一篇名為〈最生活化的文學——散文〉中，論斷散文成就的高低及優良散文應具備的要件有如下的表示：

『要論斷散文成就的高低，就應該全面去研究它的語言是否精純圓熟，它的表現方式是否變化創新，它的題材內容是否廣博深閎。』

『我認為優良的散文，應該是既能廣泛深入的觀照當前社會人生，而加以反映批評，並且又不會丟棄散文的藝術純度。融合感性、靈性、知性，而讓永恆的人性，在多變的社會中作真實而深沈的表現。』

這種提筆為文的理想，不正是作者努力以赴高懸在前的目標嗎？而事實上，在《傳燈者》散文集中，作者已經做到了，而且做得很好。

『我提著燈，從鄉間索尋到城市，從少年索尋到壯年。如今我依然在索尋著。或許有一天，我會找到我所要的一切。然而，我必須叮嚀自己，在找到之前，定不可讓手上的燈熄滅！』

『啊！我該索尋的又豈止這一枚銅幣！』

『今後我們必須索尋的又何止這幾塊充飢的地瓜而已！』

『在索尋到我所要索尋的一切，而將這盞燈傳遞給兒女之前，定不可讓它熄滅！』

《傳燈者》散文集，是以傳燈者一文而命名的。在該文中，作者分五個小節，在每小節的結尾，採用層遞的方式層層逼進，可以探視出作者索尋的層次逐漸的向上提升，真可以說是『含不盡之意，見於言外』。因為人類要生存下去，物質的需求是不可或缺的，但物質生活的滿足，不是活下去的唯一目的！否則，那豈不太可悲了。

文心雕龍知音篇中云：

夫綴文者情動而辭發，見文者披文以入情，沿波討源，雖幽必顯。世遠莫見其面，覘文輒見其心。豈成篇之足深，患識照之自淺耳。夫志在山水，琴表其情，況形之筆端，理將焉匿？

我這一篇《傳燈者》的讀後抒感，只能『從根看樹，由小見大』，限於篇幅，不能暢所欲言，諸位如有興趣，細讀全書，宛如身入寶山，必能有一分豐碩的收穫！

・民國八十一年六月發表於《中市青年》八十一期

深情低訴月冷西

·評介馮菊枝的《情深幾許》

出版：文經出版社

《情深幾許》是馮菊枝的第一本散文選集。早期以小說作品，先後曾經獲得聯合報、中國時報、中央日報等文學獎因而名震文壇的馮菊枝，經過十年漫長的蟄伏期之後，果真脫繭而出，化身彩蝶，飛上枝頭。以《情深幾許》一書，榮獲一九九二年第十七屆國家文藝獎的殊榮。

《情深幾許》一書共分為：我心孺慕、旅途心事、心園恬靜、春風話情、情深幾許、童年憶往等六卷，收錄了作者退休後從事散文創作的作品中二十三篇力作。作者以敏銳的觀察，深切的體悟、澄明的心性，真摯的情感、開闊的胸襟、博愛的情懷、溫馨的筆觸、細膩的描繪；娓娓道出她對人、事、物的無限的關懷與無盡的情意。情深處，讓你細細品味，握卷讚嘆，不忍釋手；意濃處，令人盪氣迴腸，極目窗外，不能自已。

《情深幾許》之所以脫穎而出，獲得如此的殊榮，自有其過人之處，現在我們看看國家文藝獎評審諸公對該書所下的評語：

❶從細微處體驗，深刻的描繪人世間的情意；親情、師生之情、萬事萬物的悲憫之情，篇篇精采，令人動容。作者的文字精確優美，在樸素中時見巧思？文采、思想、境界均十分高遠，芳美一如花園；是難得的佳作。

❷作者細膩的文思、精緻的語言，溫暖的筆調，深深刻畫出人與人，人與物之間的情意和關懷。本書是近年來難得一見的高品質的抒情美文。

❸作者文筆清灑脫俗、文采燦然，無論寫人、寫事、寫物，無不觀察入微、剖析深入，因此讀後令人頗有所感所得，回味無窮。

我心孺慕為首卷，只收了三篇作品，以赤子情懷兩篇寫母親一篇寫思師，表達了深深的摯愛和綿綿的懷思。

跟母親走在清晨或黃昏的路上，我常常覺得很滿足，而且心存感激。有母親陪在身邊，是最大的幸福和安慰。（頁15）

她從來不會給我過重的心理負擔，因為她怕我會受不了，她只想一切危難由她自己

承擔。（頁33）

課堂上，她有時嚴肅，有時妙語如珠。上他的課是一種絕大的享受，總讓人在不知不覺中受了他春風似的薰陶，不知不覺尊敬他、學習他、喜歡他。（頁22）

卷二的**旅途心事**，六篇作品中，矮靈之夜和月光禪房是寫台灣，另外四篇則寫大陸。不管是寫台灣或大陸，但均非寫景，而是觸景生情。這種情是：憐憫之情、關懷之情、不平之情、憤激之情，恨俗眼冷漠澆薄之情，恨自己無力相助之情。這種「每念蒼生苦」、「處處伴愁顏」的悲切之情在作者的心中激盪、翻湧，難以遏止。這股湧動的激情，注入作品之中，呈現在讀者的眼裡，撞擊著讀者的心靈，使讀者萌生「言辭不忍聽、號哭不忍聞」的深切感受。

但是身為一個文人，不只是手中有筆，更應該心中有愛，為什麼我們不能換個角度來看待我們自己的國家和同胞呢？（頁56）

那些人，游蕩散佈在桂林漓江畔的那些人，衣著襤褸，目光渙散，向你伸著手……把那人的哀哀求助，拋人滔滔滾滾的江水裡。

你不敢接觸他們求助的眼神，你垂下眼簾，可是你拋不開他們單薄的身影……那神色讓你心如刀割，同樣是中國人，同樣是自己同胞，你竟不敢幫助他，你竟比車的玻璃更冷更硬更無情。

桂林的山水再美，終是沈痛的美，遊客的心已經硬了，比漓江的山岩更硬。

而這些，又是誰造成的？

老天爺啊，請垂憐中國，請停止中國的苦難吧！（頁77）

卷三的**心園恬趣**，三篇作品都和蒔花的雅致情趣有關，點染出作者「生活即藝術」的旨意。所以，作者也深深的體悟到「生活原就是一種無盡的情意」。

卷四**春風話情**，是作者從事教育工作二十餘年來的深切感受。她不僅僅只是注重到在教室內對學生知識的傳授，更重視學生品性的培養，思想的啟導，價值的判斷。全心全意的愛的灌注。

我讓他們學會領略造物的「奇妙」，更體會那種「奇妙」，有時不是用眼睛，而是用心靈。（頁105）

生活除了斤斤於功課學業之外，還有其他廣闊的世界。那世界無止無盡，可任由我

們的心靈遨遊憩止。我們要的不僅只是表面的浮華或感官的享受，我們更需要心靈的祥寧。（頁106）

宇宙間一事一物都可感人，我心中也一定要有愛，有愛才有資格教導可愛的孩子，有愛也才能使人類生生不息。（頁123）

原來老師是終身職的啊，教過的學生永遠是你的孩子，永遠需要你的關懷，你的照顧、你的愛！終其一生和你相牽相繫。（頁126）

卷五**情深幾許**，前三篇是寫社會及社會上某些人生活在困厄境遇中無盡的關懷和悲憫之情。另外一篇是作者她所懷有的特殊感受。

卷六**童年憶往**，是作者對童年時期感受最深的瑣瑣碎碎過往的點點滴滴，這也是你我都有過的年少情懷，讀之，多少的童年往事，都會一一的躍現在你我的眼前。

既是獲獎作品，一定有其過人之處，限於篇幅，不再贅述，讀者可用心去細細品味。

既是得獎作品，必定有再版的機會。這裡有幾個錯別字，盼在再版時更正過來。一八頁第十行「想」思樹，應是「相」思樹；二六頁第七行喜歡花「奔」，應是花「卉」；九四頁第四行心「態」既名醉，應是心「想」既名醉；一八〇頁第九行「衫」木林，以及第十行黑

「衫」等，應為「杉」之誤。另外七五、七七頁書眉題目應是「旅途心事」誤植為「黃山下的靈芝」。

・民國八十一年十一月二十二日發表於《台灣日報副刊》

歲月匆匆不待人

・評介李榮炎的《莫讓流光虛度》

出版：文學街出版社

《莫讓流光虛度》是李榮炎先生繼《千層浪》、《時光倒流》、《航行的指針》、《回顧與前瞻》、《攻城》及《庭院長青》之後所出版的第七本文集。該書附錄中收有中興大學外文系主任董崇選對《時光倒流》的評介以及柴扉先生對《航行的指針》的稱讚。除了附錄中的兩篇，全書共收五十二篇作品。名為「散文創作」的第一輯十九篇，「生活漫談」的第二輯十七篇，「萍蹤寄跡」的第三輯十六篇。

正如作者在〈我的寫作歷程〉一文中所說：

> 每當我想到自己的遣詞命句而滿懷舒暢，四肢百骸，似在一種無拘束牽掛的情況下便酣然入夢。

入睡前有上開想法。而午夜夢迴或在早晨起床前，日間閱讀與所經所見所生出的一些內心感懷，便會在這個時間湧現。從單一的思維，逐漸形成概念，下一篇的文稿影子於是萌芽。我過去的寫作，就是走在這樣的一條路子上。

提筆為文，累字成句，積句成篇，篇章之中，字句是其根本。李漁窺詞管見云：「琢句鍊字，雖貴新奇，亦須新而妥，奇而確，總不越一理字，欲望句之驚人，先求理之服眾。」李榮炎先生的《莫讓流光虛度》，書中篇章，在字句的運用，不求新，不求奇，但卻能做到妥切而明確。

如作者在〈早起作羹湯〉一文中仿王建新嫁娘詞所寫的：

臨老人廚下，早起作羹湯，為妻先保溫，再行自己嘗。

今日社會，女男平等，往昔那種「女子無才便是德」的觀念，早已不合時宜了。今日女子，不僅有德，而且有才。德可以潛移默化，陶冶涵泳而來，而才卻必須飽受詩禮之訓，時雨春風，始能克竟其功。如此有才有德的女子，豈忍終其一生守著廚房守著家，相夫教子，推燥居溼，待奉箕帚，消損其青春年華凌雲壯志呢？

是以，今日女子，雖非個個都用女強人相譽，但除了操持家務瑣事之外，也各展長才謀職就業，為家庭經濟帶來很大的助益，再也不是「巧婦難做無米炊」的境況了。今日女子為家庭經濟分憂效勞，男子漢當然不應該再有大男人主義的心態，也該像李榮炎先生一樣，分擔一點家事動動手腳。

作者在該文結尾說：

不經一事，不長一智，廚房事也是要有學問的。經年以來，我在這方面不僅頗有所獲，居然做起了興趣來。回想妻伺候我幾十年，今有機會「回饋」一些，亦滿歡愉快慰呢。

作者在《莫讓流光虛度》一書中，不僅抒寫個人生活瑣碎事務的感受，甚且對生活周遭的人、事、物，都有適切的關懷。對社會，對教育，對家庭，對文化，皆有獨到的看法並寄以厚望，期使走上更完美的遠景。

——從這本書中，我們可以讀到許多樸質真醇，至情至性的文字，流露了生活情趣，呈現了對人生、家國的熱愛。

——是一份關於現代教育的意見書，很值得關心當前教育的人士去細心的一讀；另一方面，以愛心對待周遭的一切人們，一切事物，隨時去關懷別人，隨時去策勵自己。

——可以用欣賞散文的悠閒心情去品味，也可以閱讀論說文的嚴肅情懷去咀嚼。其文通俗流暢，只有親切的關懷，沒有刻板的說教；即使歲月無情，時光飛颺，但他字裡行間的關切永恆不變，他是一個有情人。

這三段文字是沈謙、胡楚生、馬水金三位先生對作者其人其文的評斷。這種評斷，放在《莫讓流光虛度》一書上，依然十分妥切，這大概就是李榮炎先生為人為文的一貫風格吧！

・民國八十四年六月三十日發表於《聖然雜誌》二十七期

核算生命盈虧人

·評介莫云的《塵網》

出版：璉亞興業有限公司

1 生活題解

本名宋淑芬的詩人莫云小姐，從八十三年二月出版了《彩雀的心事》及同年八月出版了《她和貓的往事》兩本短篇小說集之外，於去年六月又出版了詩集《塵網》。

滾滾塵世間織就的網，真是無奇不有，數不勝數。

有陷身於愛的，有陷身於恨的，有陷身於情的，有陷身於愁的；有陷身於事功的，有陷身於名利的，有陷身於聲色的，有陷身於權勢的，有陷身於癡的，有陷身於迷的，有陷身於貪的，有陷身於嗔的。

然而人，生活在紛紛擾擾，鑼鼓喧天的人世間，不陷身於此，即陷身於彼，而且愈陷愈深，難以自拔。

然而人，矻矻歲月，奔波忙碌，汲汲營求的，豈只是為了餬口而已。物質是維持人類生命的基本要件。設若生活困窘，一貧如洗，三餐不繼；如果是「餓死事小，失節事大」的君子，也許還可以固窮；而小人一窮就會「濫」，一濫，什麼放辟邪侈的事就都會做出來了。

讓我們細讀莫云〈生活題解〉的詩：

如果　雨後的天空
臉色陰灰，
就用彩虹的倒影
為它畫出笑靨

如果　大地的胸膛
傷痕累累，
就用綠色的手
輕柔地撫慰

如果　歲月的腳印
逐步深沉，
就用智慧的燈
照亮前行的路

如果——
生命是杯苦澀的咖啡
就用一匙　甜密的
愛情來調味。

作者在短短十六行分為四小段的詩作中，不僅用字平實，意象鮮明，層次井然，而且意義深遠，韻味無窮。將詩人對人類的情愛，對社會的關懷，表露無遺。如詩中，作者欲以彩虹為天空陰灰的臉塗上笑靨，用綠色的手，撫慰傷痕累累的大地；用智慧的燈，照亮前行的路；用甜蜜的愛情來調味生命的苦澀。這種用心，何其良苦！

然而人，生活在雖然是肩摩轂擊，絡繹不絕，但卻是情義淡薄，冷漠疏離的人間世。短視近利，追逐物欲者有之；沉迷不醒，同流合污者有之；睥視眾生，自鳴清高者有之；掙脫塵網，遁隱山林者有之；竭己薄力，造福人群者有之。

詩言志，作者的心志，就是要盡一己微薄的綿力，為冷酷的人間世，注入一絲溫馨的暖意，正如投入一粒小石子在平靜的湖面掀起一圈圈漣漪，向四周慢慢擴散。

2 書房截角

寫小說、寫童話而又寫新詩的莫云，一九五二年生，臺大中文系畢業。曾任國中教師，創作雖然不算多，但卻不曾中斷過。一九九三年除了以《彩雀的心事》榮獲教育部文藝創作獎短篇小說第一名的殊榮外，又得到新陸詩社的新陸小詩獎，青少年輔導基金會主辦的《溫馨故事集》徵文佳作。一九九四年又以《她和貓的故事》榮獲中央日報小說獎第一名及《皮皮回來了》得到臺灣省兒童文學協會童話類第二名。一九九五年以〈無尾貓〉和〈北柳溪相見不如懷念〉兩文分別獲得羅慧夫顱顏基金會及時報文教基金會徵文佳作；另外，以〈偶像！偶像〉一文入選教育廳主辦的臺灣省第八屆兒童文學創作獎；〈花事〉一文獲第八屆梁實秋文學獎散文創作佳作。

書房，對一個創作者來講，就像是一個工廠，創造出不少的文學成品。

書房，也是一個創作者深思、冥想、建構作品的最佳場所。

當一個創作者置身在滾滾塵網中，眼有所見，手有所觸，身有所受，心有所感，腦有所思時，不管是喜、怒、哀、懼、愛、惡、欲。你將走回書房，讓這些沸騰不已，激盪不止的繁結而又複雜的情緒，在這書房裡得以澄澈、清明而平靜，展露一個真實的自我。正如唐君毅先生所說：「一個有勇氣去經歷世界之狂濤，體驗人生各方面的意義價值的人，可以說是以他之生活經驗為餌，去釣取人生智慧的人。」又說：「你的心感著多方面之興趣，如明月之留影在千江萬湖。這並不會擾亂你的心內在之統一，因明月雖留影在千萬江湖，其本身仍長住碧空。」

這兩段不正是詩人莫云長久以來心境的最佳寫照嗎？

書房截角

•

架上成排
高　不可攀的書
在垂垂老去的暮色裡
頑固地包容著
滿室的眼熱心冷
焦黃的扉頁，滿佈

智者的壽斑

・

靈感戛然——
熄火的時刻
執筆的手，緊握
滿杯 寒涼的輕歎
只有釀詩的腹槽
苦苦私蓄著 幾度
結餘的體溫

書，是最能撼動人類心靈，激發人類思考，指導人類行為的寶典。書，蘊有無盡的寶藏，只要你竭力去挖掘，就會有豐碩的收穫；只要你妥善去運用，就會有無限的揮發。

書房截角，排列陳放的書，雖呈焦黃之狀且高不可攀；但正由於此，我們竭一己之心力，窮一生之歲月，手不釋卷，勤讀敏思，因為那是人類智的結晶，聖賢智者的壽斑。

書房截角，時古時今，時人時己，以有形的文字含無形之情愫。言有盡而意無窮，唯詩能之。是以釀詩的腹槽私蓄著結餘的體溫。

3 所謂成長

誰都有夢幻，誰都有希望，誰都有理想。然而夢幻、希望和理想，往往依附在童年想像的翅膀上。正像白雪公主、白馬王子一樣，永遠在孩子們純真的腦海裡盤旋、激盪。

童年時期的夢幻、希望和理想，就像百花怒放，璀璨絢爛的春天那樣美好，且充滿活力，充滿生機，歡快的活躍在世界上的每一個角落。彷彿雨後的天空，佈滿了無垠的彩虹，遼闊的大地，綻放著玫瑰的色彩。然而，無情的時光，飛快的流逝，在成長的歷程中，消沉、湮沒；在惡劣的環境中，扭曲、變形；在殘酷的現實中，發酵、變質。

時間是一把無情的利劍，它在人們的臉上，刻劃出一些美麗的皺紋。你不得不隨著時間而成長，你既不能拒絕，也沒有能力反抗。正像羅曼・羅蘭所說：

「人類正在狂風暴雨中改變面目，整個世界也都在改造中；不能允許任何人回到過去時代的美好事物中找一個藏身洞。」

我們試讀〈所謂成長〉一詩：

所謂成長

那隻青鳥
飛出夢的窗口
載走了最後一篇童話

王子也好，公主也罷
從此——
關起門窗關牢夢想
鎖住眉頭鎖緊心事

從此沒有
日昇月落的驚喜，也不再
為遲到的春天哭泣……

詩人所謂青鳥，正象徵著人生歷程中多夢幻，多希望，多理想的最旺盛的童年時期。然而當我們的年齡隨著歲月與時俱增，就不得不關起門窗關牢夢想，告別王子公主的美好童年，面對真實的人生，接受現實的考驗。經過塵世間各種磨難、煎熬之後，生命的成長就逐漸的更加圓融，能自然而然的與人群與大自然契合為一。有容乃大，見多識廣之後，當然，對日昇月落以及遲到的春天也就不會像兒童那樣天真無邪的感到驚喜或哭泣了。

《塵網》詩集一書，分閒情、跡痕、情結和塵網四輯，收錄詩作六十八首。誠如作者在序文中所說：

「於是，所有拂掠過心湖的和風急雨，以及那一圈圈被激盪的或大或小的漣漪，自然都化為筆下或長或短的詩篇；於是，縱浪大化的神思，在獨享絕對自由的片刻也鬆懈了羈陷浮世塵網的身不由己。」

讀者若能仔細品味這一段話，必定能成為幫助你開啟欣賞《塵網》詩集的一把鑰匙。

・民國八十五年一月十一日發表於《台灣日報副刊》

劉向妙語錄

少而好學，如日之陽；
壯而好學，如日之光；
老而好學，如炳燭之明

豐盈的生命甘泉

・評介朱光潛的《談美》

出版：文國書局

「悠悠的過去祇是一片漆黑的天空，我們所以還能認識出來這漆黑的天空者，全賴思想家和藝術家所散佈的幾點星光。朋友，讓我們珍重這幾點星光！讓我們也散佈幾點星光去照耀和那過去一般漆黑的未來。」

這是朱光潛先生對青年朋友多殷切的期望啊！

飢則索食，渴則求飲，這是人之大欲。然而人所以異於其他動物，就在於飲食男女之外還有更高的企求，美就是其中之一。飢而無所食、渴而無所飲，就會造成飢渴——物質上的飢渴；人生中離開了美，同樣是一種飢渴——精神上的飢渴。所以，飲食是為維持生命，求美是為充實生命，作為一個真正的人，兩者同樣重要。

朱光潛先生的《談美》一書，就是在我們飽食暖衣之外，提供了豐盈的食糧甘泉，以滿足我們精神上的飢渴。

《談美》共分十五章，從這十五章中，不管是探討宇宙、自然、人生，無不以藝術、以美的眼光來透視、來闡述、來解讀。

那麼究竟什麼是美呢？依作者的看法是：

「美不完全在外物，也不完全在人心，他是心物產生的嬰兒。美感起於形相相屬物而卻不完全屬於物，因為無我即無由見出形相；直覺屬於我卻又不完全屬於我，因為無物則直覺無從活動。美之中要有人情也要有物理，二者缺一都不能見出美。」

接著作者列舉古松的例子說：

松的蒼翠勁直是物理，松的清風高節是人情。作者更以情人眼底出西施來說明初嘗戀愛滋味的人，眼中的她也不復是她自己原身而是經他理想化的變形。他在理想中先醞釀成一個盡美盡善的女子，然後把她外射到他的愛人身上去，所以他的愛人其實不過是寄托精靈的軀骸。他只見到精靈，覺得無瑕可指；旁人冷眼觀察卻不以為然。所以戀愛中的對象是已經藝術化過的自然。尋常戀愛都帶有強烈的佔有慾，美感的態度則絲毫不帶佔有慾。這是二者重要的相異之處。所以，要見出事物本身的美，一定要從實用的世界跳開，以「無所為而為」的精神欣賞他們本身的形相。

法國畫家德臘庫瓦說：「自然祇是一部字典而不是一部書」。所以，儘管人人都有一部字典在手邊，可是用這部字典來做詩文，則全憑各人的情趣和才學。做得好詩文的人都不能說是摹倣字典。這段話說明自然與藝術美的關係，頗值得玩味！

俗，人人憎惡；美，人人喜愛，朱光潛的《談美》正好提供了免「俗」的方法和途徑。藝術的生活就是有「源頭活水的生活」。「俗」人迷於名利，與世浮沉，就因沒有源頭活水。這是吸引人們視線的主因。

・民國八十九年一月發表於《屏東青年》一五三期

學問二字，須要拆開看。學是學，問是問。今人有學而無問，雖讀書萬卷，只是一條鈍漢爾。

衝破陰霾見月明

・評介謝冰瑩的《女兵自傳》

出版：力行書局

謝冰瑩，一九〇六年生，湖南新化人。一九二一年考入湖南省立第一女子師範學校，一九二六年考入中央軍校第六期女生大隊。一九三一及一九三五年兩度赴日入東京早稻田大學研究。

謝冰瑩女士曾任漢口和平日報及華中日報副刊主編。先後任教北平師範大學及國立臺灣師範大學。一九七一年退休後寄居在舊金山，著有《女兵自傳》等七十部作品。

《女兵自傳》是作者自己極為喜愛的作品，原名是《一個女兵的自傳》，民國二十五年三月，由上海良友圖書公司出版上卷，抗戰勝利後的第二年，在武漢抱病完成中卷。民國四十五年在台北市力行書局出版的就是現行的《女兵自傳》。

《女兵自傳》先後翻成英文、日文、韓文、俄文、西班牙文。甚至還有中英對照的版本。由此可知《女兵自傳》流傳之廣，影響之深，足見在當時是多麼深受讀者喜愛的一部作品了。經過了六十個年頭，女兵自傳仍為讀者所津津樂道，喜愛不已，原因有二：其一是以一個天真的鄉下姑娘居然敢和五千年歷史的封建思想相對抗；其次是不顧親人反對，毅然決然置身女兵行列投入革命洪爐的義舉。

謝冰瑩教授的父親，溫文儒雅、和藹可親，不僅是前清時的進士，而且在故鄉湖南新化做了三十七年新化縣立中學校長，可以說是桃李滿天下。而她的母親是絕頂聰明，有強烈的三從四德、男尊女卑的觀念，重視舊禮教勝於看重自己的生命。

由於在這傳統禮教重重束縛的舊式家庭裡，甚至她母親認為女孩子，只能做賢妻良母，侍奉翁姑……所以她認為替女兒做的三件大事是：裹足、穿耳、出嫁。如此，女孩就不必像男孩一樣讀那麼多書。所以，在自傳裡，作者不得不以躺在床上不吃飯——以餓死作為自殺的手段來爭取讀書和婚姻的自由了。這在自傳裡也佔了不少的篇幅。

民國四十五年四月二十一日謝冰瑩教授在《女兵自傳》台版序中說：

……………

此外，還有幾位不相識的出版商，先後在港、滬各地，印了些中文或中英對照的版本；也有把它改換書名，改換作者姓名在港無條件地代印出來的。在文字方面，難免有許多錯誤，大體上都採取本書的中英版本，版權雖被侵害，卻意外地獲得了更多的讀者。

近年來，許多朋友——尤其是青年朋友，希望我將本書在臺出版，我因顧到許多困難，老沒有有勇氣重印；等到讀了幾冊「代印本」，內容錯誤百出，這才下決心整理這部書，願意以她的本來面目與讀者相見。

《女兵自傳》收錄了八十一篇精簡的短文，這當然是作者現身說法的真實故事。除了爭取讀書和婚姻的自由，也敘述了從軍報國的壯烈歷程及在軍中艱苦的生活情境，更描繪了求學忍饑挨餓的困境，這在〈偷飯吃〉、〈愛與恨的爭鬥〉幾篇作品中得到明證。

『在我寫過的作品裡面，再沒有比寫《女兵自傳》更痛若了……裡面沒有歡笑，只有痛苦，只有悲哀。寫的時候，我不知流下了多少眼淚，好幾次淚水把字沖光淨了……於是索性把筆放下，等到大哭一場之後，再來重寫。』

所以說《女兵自傳》是一本有熱血、有淚水、有熱情、有活力、有膽量、有勇氣、有理想、有抱負，充滿著坎坷離奇，不同凡響的好書。

・民國八十九年四月發表於《屏東青年》一五五期

有勤於灌溉的園丁，
才有芳香甜美的果實；
有勤於琢磨的工匠，
才有光彩耀目的寶石；
有勤於苦讀的學者，
才有圓融豁達的智慧。

慧劍斬斷煩惱根

・評介羅家倫的《新人生觀》

出版：業強出版社

羅家倫（一八九七—一九六九）浙江紹興人。北京大學畢業後曾留學美、英、法、德等國，研究歷史、哲學和國際關係。回國後，歷任北京大學教授、清華及中央大學校長、首任駐印度大使等職。著有《新人生觀》、《新民族觀》等書。是五四運動健將之一，曾創辦《新潮月刊》。

在人類成長的歷程中，誰沒有跌倒過？誰沒有痛苦過？誰又能避免失敗、避免挫折呢？誰又能沒有「少年維持的煩惱」呢？當你面臨這許多危險的處境時，在你內心，誰不會沒有這種疑慮，這種困惑，這種無言的吶喊呢？是以輕生的念頭，或多或多、或濃或淡、或隱或顯的就會在心中萌發。有的是一閃即過，有的是揮之不散。這時，若能有父母、師長、朋友、同學，給予適當的關愛、適時的誘導、適切的啟悟，必能把陷溺於空虛、失望、灰暗、無助的深淵中的青少年拉起來。

當今社會，青少年輕生自裁的事件，間有所聞。當他們在奮力掙扎之際，是否也會在心中興起「這生命值得活嗎」的浩嘆？

羅家倫先生在《新人生觀》中〈悲觀與樂觀〉一文裡就說：

『這生命值得活嗎？況且人生一世，不過數十寒暑，生老病死，無非痛苦煩惱。生命太無常了，何必奮鬥，自討苦吃。這種情緒不見得會天天有，但如假定有了，而無法解決這生命之謎，危險也隨著發生了。』

這豈不是一針見血的說明了沈溺在危險邊緣地帶的青少年的困境？

打開《新人生觀》這本書，從首編〈建立新人生觀〉開始，到〈信仰、理想、熱忱〉結束。可以說是字字珠玉，擲地有聲；篇篇金章，力透紙背。正如作者在自序中說：

『我寫這部「新人生觀」的時候……我祇想把中國民族思想和生命中，我認為缺少或貧乏的部分，特別提出來探討、來發揮。』

瞭解了作者為文的苦心，大家應該深思、省察，更急切的期望青少年朋友能鼓起勇氣接受挑戰，揮舞慧劍割去陳腐弊病，建立積極的、健康的新的人生觀。

《新人生觀》出版已有五十餘年，但仍有新義。

「新」在其立論的深刻與周延。

「新」在其舉證的平實與貼切。

「新」在其文筆的清新與明暢。

「新」在其為文的熱忱與心胸。

《新人生觀》的讀者眾多，影響廣泛。主要是作者高舉新人生觀的旗幟，鮮明的使青少年超越自我，肯定生命的價值，享受豐富的人生。其次《新人生觀》素材高雅而清新，立論深刻而周延，例證貼切而真實，而且理論與實例並重。在閱讀時是一種快樂的分享，更有一股不可抗拒的提升的力量。

・民國八十九年五月發表於《屏東青年》一五七期

陶淵明雜詩妙語錄

盛年不重來
一日難再晨
及時當勉勵
歲月不待人

超凡入聖世間情

·評介黃守誠的《劉真傳》

出版：三民書局

恆本仁人志，常循聖賢心；
崇禮懷忠信，時時念傳薪。
溫文復儒雅，淑世兼濟人；
偉哉成教化，士林皆頌君。

1

民國五十四年，在師訓班前後三期申請保送升學多達七十五位同學之中，我排名第三，是以能幸運的奔向和平東路，進入師大國文系，重拾書本，當起「大」學生。

被稱為師大的精神堡壘，由教育家劉白如先生手訂的師大校訓「誠·正·勤·樸」時時縈繞心頭，那時所瞭解的浮泛而粗淺，僅從字面上去臆測去認知。直到拜讀過黃守誠先生所著的《劉真傳》巨著，才知道這四個字的深刻內涵。

「**誠**」就是不虛偽，不欺妄。凡事能做到始終如一，擇善固執，就可算得「誠」了。

「**正**」就是不偏私，不枉曲。凡事能做到光明正大，貞固剛毅，就可算得「正」了。

「**勤**」就是不怠惰，不因循。凡事能做到自強不息，鍥而不捨，就可算得「勤」了。

「**樸**」就是不奢靡，不浮華。凡事能做到質樸無華，闇賤尚絅，就可算得「樸」了。

這是我讀《劉真傳》的一大收穫。

試想，為入師表，作為一個師大學生對師大校訓尚且是懵懂半解，不知深刻意涵，豈不貽笑大方，愧為人師。

2

《劉真傳》於民國八十七年十一月，由三民書局出版。全書厚達五百頁，約三十萬字，共分二十七章。這本書是筆名「歸人」的作家黃守誠先生所撰，從搜集資料到巨著完成，花了十餘年的時間。這之間，經常向劉真先生徵詢討教，作者謹慎將事的態度，實在令人欽敬。

《劉真傳》一書描述劉真先生的童年生活，求學歷程，到投身於抗戰，杏壇試身手，以及議壇的洗鍊，和來台後主持師大與教育廳期間對學制的改革，文化的推動，人才的延攬，教育的熱誠，服務的理念，巨細靡遺，這些蜚然有聲，超塵拔俗的作為歷歷可徵，斑斑可考。

3

劉真未滿七歲，就進入他父親主持的毓秀小學讀書。在小學除了每天寫大小楷、每週作文兩篇外，更體悟到父親在修身科中宣示「人生要奉獻、應報恩。不要隨波逐流，應該特立獨行。」以及「立志並不是要有很大的野心；只要能做好人，做好事，並能貢獻所學於社會，便是立志了。」類似如此的諄諄教誨，都奠定了劉真日後做人行事的準則。

劉真從小學畢業，進入壽縣初中，這時，恰逢北伐，戰亂禍起，學校教育除了深受時局動亂影響不能正常教學外；劉真腿部生瘡，不良於行，臥病在床，半年方癒。自民國十四年升入初中，十七年畢業，時讀時輟，艱辛備嘗。

安徽大學是安徽的最高學府，也是安徽子弟升學的目標。安大設在省府所在地安慶。所以，劉真到了安慶，先考入東南中學高中部，只讀了兩個月，便以同等學力考取了安大文預科。安大學制是預科二年，本科四年，預科分文、理科各一班。劉真以同等學力報考，進入錄取率十分之一的學校，誠屬不易。預科要求嚴格，原錄取的三十二名學生，不到一年，竟淘汰了十八名。於是劉真更是三更燈火五更雞的勤奮苦讀，不敢稍有懈怠。上大學，學費昂貴，寒假期間，為節省開支，連家都不敢回，不僅如此，離家時所帶的錢也所剩無幾。家人無力支助，設若再不開闢財源，將會面臨輟學的危機。好在天無絕人之路，沒想到劉真在圖書館看到《晚報》上的徵文啟事，靈機一動，即提筆為文。當投出的稿件見諸報端領到了稿費，不僅僅是煮字療飢，解決了經濟的困境，更獲得了師長們的鼓勵，於是將投稿的觸角伸向了銷路最廣的《申報月刊》、《中學生》和《中華教育界》等刊物。也因此，引起了廣泛的注意。

首先是安大緊鄰的聖保羅中學教務處郭主任委改作文，按篇計酬，維持生活所需，已無問題。其次是校內的名教授接受上海各書局及雜誌社的邀請，或撰文或編書，劉真也經常代編代寫，因之，劉真在安大的知名度日漸提升。家境本不寬裕的劉真，刻苦自勵，自食其力的精神，贏得了同系同學出身極為不凡的石裕清小姐的芳心。這可以說是劉真在安大求學歷程中最幸運也最燦爛的一頁。

4

劉真和石裕清自安大畢業後雙雙飛往東京，劉真進入東京高等師範教育研究科，石小姐則入東京文理科大學文學院，二人都是攻讀心理學。

劉真在東京最令他憂心的仍是經濟問題，像在安大一樣，意外的有人相助，這時大使館孫秘書伯醇，由於也是安徽人，再者與石小姐有親戚關係，是以推薦劉真到使館為兩位武官子女補習國文，對劉真的生活及學費有莫大的幫助。

民國二十六年五月三十日，劉真和石小姐這對相戀了六年之久的情侶，終於在東京高師校友會茗溪會館完成了終身大事。新婚不久，七七事變爆發，抗日戰爭在各地次地展開。劉真夫婦毅然返國，在「留日學生訓練班」結業後被分派到三民主義青年團中央團部服務，由於新職不太忙碌，就寫了一篇以〈湖北中學聯合設立之教育的意義〉為題的專文，在武漢《掃蕩報》發表。在安大時寫作是為了糊口，現在因寫作，得到了時任湖北省主席兼任聯中校長的陳誠將軍的賞識。

於是，從民國二十七年擔任少校侍從秘書，到了二十八年，又從中校拔擢為上校侍從秘書。

5

劉真志在教育，擔任兩年多侍從秘書後，申請改調湖北師範學院。不久，因劉真穩健篤實的任事精神，又請他主持訓導工作，由於劉真管教事事認真，對學生處處關心，深獲師生感佩與愛戴，劉真也深深的體會到教育工作是人生一大樂事。

三十三年底陳誠在陪都重慶調升軍政部長，需人孔急，再以電報召回劉真任軍政部少將參議。

不久，抗戰勝利，劉真便由陪都重慶回到南京。三十六年三月三十一日政府公佈了選罷法，劉真在黨國元老安徽鄉賢吳忠信先生的約談力荐下，提名競選安徽省的立委，選擇結果公佈，劉真以高票當選，這時，他才三十五歲。

6

大陸變色，政府播遷來台，陳誠受命出任台灣省主席。這時，台北兩大高等學府——台大與師院也開始鬧學潮，台大有聲望卓著的傅斯年校長當可放心，而師院沒有專人主持，是一大隱憂，一向關心教育的陳誠，於是又電召劉真來台主持師院。原本以教育廳副廳長兼代師院院長的謝東閔先生，才鬆了口氣，堅辭院長兼職，終於如願以償。

劉真主持台灣省師範學院及改制後之師範大學，前後八年四個月，真的可以說，教育對劉真，是最具有吸引力的偉大事業。劉真辦學績效之卓著，盡人皆知，固不待言。但有幾件事，值得在此提出。

❶擴大校地・增建校舍

台灣省立師範學院成立於民國三十五年，院址是日據時期的台北高等學校，兩校共用一個校園。首任院長為李季谷，三十七年調任浙江省教育廳長，由台省教育副廳長謝東閔先生兼任。師院校舍狹窄不說，連校門也付之闕如，經過竭力爭取，師院對面空地終於撥交師院，於是，興建校舍及男女生宿舍，解決校園過分狹窄的問題。

❷勇於負責・救人危難

劉真到任後，學潮雖已逐漸平息，但治安單位送來一份包括近代史專家郭延以在內的問題師生名單。在那種風雨飄搖動亂不息的年代，一旦處理不當，輕者受牢獄之災，重者有性命之憂。所以劉真可以說是以身家性命，挽救了數十位學者及青年學子的生命，避免了含冤莫白，生死難卜的厄運。

在當時，若沒有勇氣，沒有擔當，誰肯不顧一切，擔負這種驚天動地的危難呢？

❸求才若渴・延攬大師

劉真身為院長，深知延聘優良教師的重要，因此，除了託人在各地延攬名師外，一旦從報刊雜誌或其他管道獲得有學者來台的訊息，即攜帶聘書，親臨拜訪。受到如此禮遇的真誠感動，欣然接受先後來院任教的有：黃君璧、陳大齊、梁實秋、溥心畬、潘重規、蘇雪林、錢穆、牟宗三、高明、李辰冬、謝冰瑩、楊亮功、孫亢曾等，可以說是學有專精，各界翹楚。

❹師生一體・以校為家

在全國各大學院校中，學生每天參加升旗典禮的絕無僅有，五十四年我在師大就讀時，每天早晨準備升旗的事務並擔任司儀，原來這是劉真院長立下的優良傳統典範。

劉真在第一次舉行升旗典禮時向大家宣佈：

「我要求你們的，我一定首先做到；我自己做不到的，我絕不要求你們。……我在師院服務一天，也一定每天準時來學校參加。」

不僅如此，每兩週，教授與學生代表，共同和院長舉行座談，討論學校興革事項。這種民主化的教育理念，在那時可說是創舉。

劉真的辦學精神，對學生的關懷，使得師生如同家人，當然也就視校為家了。

❺注重文史・為國育才

師院以培養健全的教師為目標，而語文為民族文化的根本，研究學問的基本工具；歷史是國家奮鬥的歷程，發展的脈絡及興衰的流變，可提高國民對國家的情操和責任。所以，文史在師範教育上有其重要性。推廣和加強文史教育，便是為國家、民族的生命，作了最好的奠基工作。

劉真從三十八年四月十日接任台灣省立師範學院院長，並續任升格後的師大校長，為時達八年四個多月之久。

四十六年八月十六日，年僅四十五歲的劉真，在婉拒不成，宣誓就職後，決心投入教育廳長的工作了。

劉真深深覺得現在的學校教育，國民教育應量重於質，中等教育應質量並重，高等教育則應質重於量。劉真除了闡述自己對當前教育的看法，並一再強調服務的理念。他認為：要改變「權力」的觀念為「服務」的觀念，重視行政的「效果」，力求減少官場的「形式」；使教育行政機關與學校的關係，完全建立在合作的精神上。

為了落實這種理念，他認為對所屬學校，務必做到「少干涉，多協助，少命令，多商量。」「廳長多去學校，校長少來教育廳。」

劉真擔任廳長五年有餘，從到職那一天起，便抱定一切為教育，一切為國家的理想，堅持「教育廳為學校而存在，學校為學生而存在」的原則。由於劉真任廳長期間，在施政上能高瞻遠矚，務實精進，力求創新，清廉有為；所以，貢獻卓著，普獲好評。限於篇幅，僅將其績效為人所稱道者列之於後：

策定教育方針

師範升格專科

健全人事制度

增建國小教室
提高教師待遇
謀求教師福利
籌集福利基金
興建教師會館

8

民國五十一年十二月一日，劉真剛離開教育廳，搭上北上的火車。回到台北，到了寓所，國立政大校長劉季洪，商學院長韋從序已在客廳相候，堅邀劉真到政大任教。

當然，劉真最感興趣的依然是教書工作。在政大一年多，劉校長又一再相邀兼任行政，不得已又擔任教育研究所所長的職務。

在政大期間，劉真一面傳道、授業、解惑，一面研究、讀書、著述，頗為符合他所倡導的三自主義中「自得其樂」。

民國五十六年及五十七年先後兩次蒙總統　蔣公接見，第一次是促其在「國家安全會議」國家建設計畫委員會文化組任副召集人。第二次是受命前往歐美作為期一年的教育考察。

劉真在歐美考察於五十八年七月返國後除立即以口頭向總統報告之外，寫了一份四萬字非常充實的題為：〈考察歐美教育的經過與觀感〉的書面報告。

劉真就個人體察，深感欲謀國家社會安定進步，固須多方面努力，但最重要不外兩端：

❶必須使全國最貧苦者之生活，皆可獲得最低之保障。

❷必須使全國最優秀者之才能，皆可獲得最大之發展。

由於劉真在教育上的研究著述，行政實務及考察心得的真知灼見，所以先後應邀主持學制改革研究，《教育大辭典》的編纂以及「中山學術文化基金會」等繁重的工作。表現優異，卓然有成。

9

黃守誠先生費時十年有餘撰寫《劉真傳》。依據作者在《劉真傳》前記及八十八年二月六日國語日報「書和人」作者撰「教育家劉真先生傳的寫作」一文中，可以知道作者撰寫《劉真傳》的動力歸納如下：

❶勇於任事的精神：師大八年，晨間升旗，從未缺席，政大任教，五年有餘，從未缺課。

❷樹立學人的典範：知人善任，禮賢下士，延攬才俊，尊重專業，教育報國，服務人

群。

❸堅持生活的品味：生活儉樸，居陋就簡，安之若素；篤守誠信，特立獨行，樂道自得。

❹關懷教師的福利：提高待遇，改善生活，興建會館，提振士氣，整頓學校，建立制度。

❺名人傳記的闕如：清望碩學，投身教育，卓然有成，不乏其人，但無傳記，留傳於世。

《劉真傳》的問世，的確是教育界文化界的一大盛事，從事教育文化工作的人，當仔細品讀，必定有所啟發，有所領悟。

幾近五百頁的《劉真傳》，若能再附錄劉真年表於後，定有助於《劉真傳》的效果。芻蕘之見，不知作者以為然否？

・民國八十九年十月發表於《明道文藝》二九五期

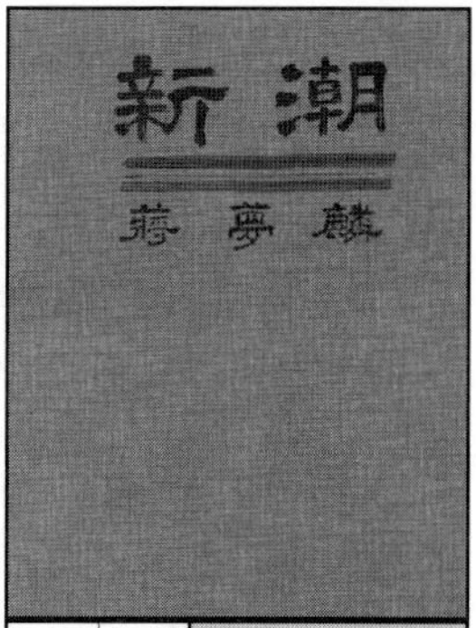

波濤洶湧的浪潮

・評介蔣夢麟的《新潮》

出版：晨星出版社

『我們受了西方來的狂潮的激盪以後，國內一切思想制度都起了莫大的變化，勢如洪濤洶湧澎湃！我們叫這變化為新潮。

西潮是寫由西方的外力影響了內部的變動；新潮是寫內部的自力的變動而形成的一股巨大潮流。雖然這種新潮的勃起，也可以就是受了西潮的激動，不過並不完全是受外來的影響，而是由內部自己發起來的。』

看了《新潮》一書蔣夢麟先生在書前的引言，就能明確的瞭解，作者是期望在北大任職期間，及五四運動中所倡導的德先生與賽先生，能從象牙之塔的學府移植於台灣廣大的農村。這幾十年前所得的經驗，寫成了《新潮》。

《新潮》一書，和《西潮》一樣，流傳甚廣。

《新潮》包含五章，另有五篇文章，是憶述四位賢哲的，最後是〈談中國新文藝運動〉。五章中的前三章是記敘作者在農復會任職時，實行土地改革，統籌農業計畫等政策的推行。在這本書裡，作者不但寫農復會在台灣的工作情形，同時也追溯了一些在大陸工作的往事。大家都知道土地問題是我國歷史上改朝換代最重要的一個原因，土地問題，永遠是中國禍亂循環的原因。 國父孫中山先生倡「耕者有其田」，就是看到歷史上這個重要問題的癥結所在。台灣農村實行土地改革，農復會功不可沒。

第四章是作者任職紅十字會會長到各地紅十字會視察，針對所目睹的兵役、壯丁等怪現象所提出的建言。

第五章是探討文化發展和進步的問題。作者認為：文化的發展有兩個重要的因素，一個是內在的，基於生活的需要；一個是外來的，基於環境的變遷。外來的文化，固然可以刺激本國文化的發展；而本國的文化受了外來的影響，也可以更適應環境。能夠吸收外來的文化，吸收得適當，而且能夠把它適應於中國，這是中國文化進步的一個重要的關鍵。

〈試為蔡先生寫一篇簡照〉及〈蔡先生不朽〉二文，都是作者民國二十九年三月廿四日發表在重慶中央日報及重慶掃蕩報，追念前北京大學校長蔡元培先生的文章。

〈追憶中山先生〉一文是作者一九〇九年首次自舊金山小客棧與 國父會面開始，到國父在北平逝世為止，記敘了許多瑣碎的小事，從平凡中見出不平凡的表現。

〈一個富有意義的人生〉是記述在台灣推行國語教育，達到「語同音」標準化的吳稚暉先生的。

〈憶孟真〉是追念前台灣大學校長傅孟真的文章。最後一篇是為紀念五四文藝節而作。

整本書，可說是我國思想極度動盪之際，作者的親身經歷與所思所感。他說：

『我寫這本書的用意，就是想把幾十年的經驗，傳給現代的青年和後代的兒孫。我們這一代所經驗的無限苦痛，希望可以為下一代的人們作指示和教訓……。』

因此，這本《新潮》如果和《西潮》並讀，獲益更深。

・民國八十九年十月發表於《屏東青年》一五九期

一本書有如一幅人生的圖畫
或都市的圖畫。
有的讀者觀紐約或巴黎的圖
畫，但永遠看不見紐約或巴
黎。智者同時讀書及人生。
宇宙一大書本。
人生一大學堂。

車過枋寮現美景

・評介：余光中的《車過枋寮》

出版：大地出版社

雨落在屏東的甘蔗田裡，
甜甜的甘蔗甜甜的雨，
肥肥的甘蔗肥肥的田，
雨落在屏東肥肥的田裡，
從此地到山麓，
一大幅平原舉起
多少甘蔗，多少甘美的希冀！
長途車駛過青青的平原，
檢閱牧神青青的儀隊，
想牧神，多毛又多鬚，
在那一株甘蔗下午睡？

雨落在屏東的西瓜田裡，
甜甜的西瓜甜甜的雨，
肥肥的西瓜肥肥的田，
雨落在屏東肥肥的田裡。
從此地到海岸，
一大張河床孵出
多少西瓜，多少圓渾的希望！
長途車駛過纍纍的寶庫。
想牧神，多血又多子，
究竟坐在那一隻瓜上？

雨落在屏東的香蕉田裡，
肥肥的香蕉甜甜的雨，
肥肥的香蕉肥肥的田，
雨落在屏東肥肥的田裡。
雨是一首溼溼的牧歌，

路是一把瘦瘦的牧笛，
吹十里五里的阡阡陌陌。
雨落在屏東的香蕉田裡。
胖胖的香蕉肥肥的雨，
長途車駛不出牧神的轄區，
路是一把長長的牧笛。

正說屏東是最甜的縣，
屏東是方糖砌成的城，
忽然一個右轉，最鹹最鹹，
劈面撲過來
那海。

讀余光中先生的詩，彷若走進一個奇景迭現的大花園，園中繁花似錦，芳草如茵，亭臺樓榭，湖光山色，處處是景，景景怡人。粗粗瀏覽，便已沉醉其中，細細觀賞終至流連忘返。悠悠然令人有種「細數落花因坐久，緩尋芳草得歸遲」的感覺。

余光中先生的詩，在台灣詩壇是最受讀者喜愛也最富有影響力的詩人之一。其作品之繁富，思想之深廣，風格之獨特，技巧之圓熟，取材之廣闊，表現之卓越，遣詞之功力，用字之精確；放眼當今詩壇，鮮有出其右者。所以，在國中課本就先後選過他的〈鵝鑾鼻燈塔〉、〈鄉愁四韻〉及〈一枚銅幣〉等詩作。

〈車過枋寮〉是余光中先生於民國六十一年元月三日寫於墾丁的一首詩。全詩合為四段，共三十八行，用了三三六個字，描繪出一幅經果農辛勤耕耘所呈現出的欣欣向榮的景象。

枋寮鄉原是一片森林地帶，清康熙年間，福建漳州居民渡海來臺，伐木鋸板，搭寮而居，取伐木為廬之意，故名「枋寮」。枋寮背山臨海，為屏東平原區的南界。不僅是西部縱貫鐵路的起訖站及南迴鐵路的起站，更是沿海公路及屏鵝公路的交會點。

枋寮鄉，由於土地肥沃，氣候溫和，水源豐富，灌溉便利，所以適合栽種各種農作物及水果。

描寫同樣的景物或同類的景物，當然可以從不同的角度去描寫，去刻劃，就會呈現出不同的畫面和不同的氣氛。詩人憑藉著敏銳而細緻的體察力，能抓住景物的特點，善加描繪，刻劃，而且表達得十分傳神，這就端賴作者慧心巧手，始能達到的境地了。

〈車過枋寮〉詩中的一、二、三段前四行，其架構，遣詞、句型完全相同，只是在各段的第二行分別寫甘蔗、西瓜和香蕉之別罷了。

農人是看老天爺的臉色吃飯的，故在農村有「春雨貴似油」的俗諺。設若是「久旱逢甘霖」，那就更會令農人雀躍歡欣了。所以，詩人以「甜甜的雨」來滋潤「肥肥的田裡」所栽種的「甜甜的甘蔗」，「甜甜的西瓜」和「甜甜的香蕉」，就極其自然也十分容易理解了。

第一、二兩段，五到十一行，其架構相同，不過一寫甘蔗，一寫西瓜。如果三段的表現都相同，就會流於呆滯而缺少變化。所以第三段五到十一行，就有了不同的表現方法，如此，就顯得靈活而有生機。

詩與音樂，有密不可分的關係，不管詩人是否刻意去追求音樂在詩中的表現與否，但或多或少在詩中都會帶有音樂的成分。

在《白玉苦瓜》後記中余光中先生說：

「我認為，凡是成功的現代詩人，沒有一位不是在音樂上別有建樹的。

「詩和音樂結婚，歌乃生。」

至於我自己，對於詩與音樂的結合是頗有興趣與信心的。」

傳統詩是以聲韻、平仄、對仗來達到音樂的效果。現代詩則是以詞彙、句法、音節來達到音樂的效果的。

〈車過枋寮〉三三六個字的詩中，就用了二十六個疊字詞組。所以，該詩的音樂性特別濃厚，尤其「肥肥」一詞，先後運用達十次之多。使得整個首詩音節自然和諧，架構單純清楚，讀者不僅可琅琅上口，朗誦起來，效果特佳，而且全詩的涵意，讀者也十分容易理解。整首詩，在平實的詩句中，含有不盡的自然韻味，在詩的內容裡，蘊有濃厚的鄉土氣息。

古人主張：「琢字煉句，雖貴新奇，亦須新而妥，奇而確。妥與確總不越一理字，欲望句之驚人，先求理之服眾。」

詩中：「一大幅平原『舉』起」及「一大張河床『孵』出」，兩句中的『舉』與『孵』，正如宋祈的「紅杏枝頭春意『鬧』」和張先的「雲破月來花『弄』影」兩句的『鬧』與『弄』，有異曲同工之妙。讀者要細心的去體悟。

路是一把瘦瘦長長的牧笛，而作者乘著長途車呼嘯著，彷彿是從牧笛流瀉出來的樂音，突然一個右轉，車過枋寮之後，就是迎面撲過來的鹹鹹的海浪及一波波的濤聲了。

不要輕信余光中只會「左手寫散文右手寫詩」，其實，他的文學理論、文學批評以及翻譯等，均有可觀的成績，所以余光中先生曾說：「我是藝術的多變主義者」，這種說法是最適切的。

詩，是精神生活的投影，是心靈世界的實現，是人類智慧的結晶，是文學天地的精華。我們是詩的民族，讓我們一起來讀詩吧！

疊字詞組運用統計

詞語＼運用次數＼段落	第一段	第二段	第三段	小計
甜甜	2	2	2	6
肥肥	3	3	4	10
青青	2			2
纍纍		2		2
溼溼			1	1
瘦瘦			1	1
阡阡			1	1
陌陌			1	1
胖胖			1	1
長長			1	1
小計	7	7	12	26

・民國八十九年十一月發表於《明道文藝》二十二期

王安石妙語錄

貧者因書而富
富者因書而貴

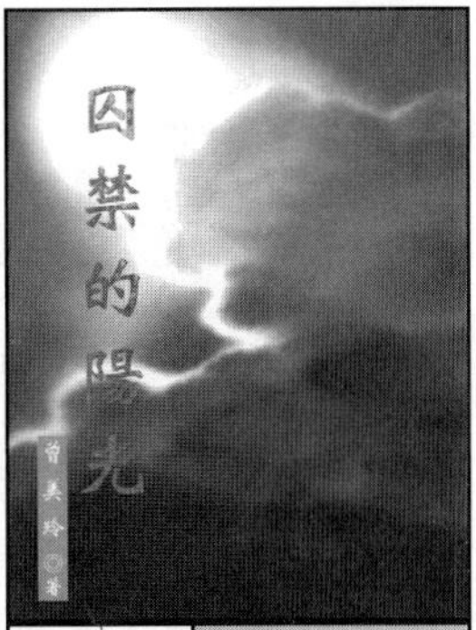

詩歌不朽的容顏

・評介曾美玲的《囚禁的陽光》

出版：詩藝文出版社

《囚禁的陽光》是女詩人曾美玲繼《船歌》之後所出版的第二本詩集。書分七輯，收錄詩作八十首。誠如作者該書後記題為〈無悔的選擇〉中說：

「寫一首詩，創新的技巧固然重要，真摯情感與誠懇的態度更重要……我的每一首詩就像我鍾愛的孩子。這些孩子固然有不完美的表現，但他們都是我心血的結晶。」

女詩人曾美玲的自白和尼采所揭示的「在一切文藝作品中，獨留心用『血』寫成的。」這種觀點十分契合。

有人曾說：「女子是天生的藝術家，女子本身就是美的形相。」因為女子有豐富的情感，靈秀的稟賦，細膩的思維，敏銳的感覺。然而，在古代，由於宗法社會的形成，禮教束縛的流毒，婦女地位的低落，婦女在「三從四德」，「夫為妻綱」，「必敬必戒」及「以順為正」等等教條的壓迫下，縱使才情卓越的女子，也難有施展發揮的空間。是以，女子少有雄厚宏偉、氣概磅礴的長篇巨著，大多是纖麗精巧，音節幽美的詩詞小品。例如武林女子的苦相思曲：

「見時羞，別時愁，百轉千回不自由，教奴怎罷休？

懶梳頭，怯凝眸，明月光中上小樓，思君楓葉秋！」

這種婉轉淒美，緣情綺麗的作品，正表達了古代婦女在飽受傳統社會的桎梏之下，在心湖極度激盪下的些微漣漪！

降至今日，女男平等，有才情的女子，不必再死守著「主內」的狹小天地裡，觸角可以向外伸展，視野可以更為遼闊。去觀賞大地的煙景，去仰望晴朗的星空，去體現人生的悲歡，去感受社會的脈動，去關懷弱勢的族群。揮灑的空間廣闊無際，藝術的生命豐厚璀璨。

誰都知道，人是不能離群索居，脫離社會而生活的。雖然我們常說某作品是某某人的創作，若單從表象來看，一個作者運用文字作媒介，以藝術的手法，抒發一己的思想、感情，似乎是個人才情的表露，但實質上當他表達一己思想、感情的同時，也披露了社會上某些複雜糾結的現象，揭發了滾滾紅塵中潛藏著的現實風貌。這種社會意識的反映，在文學的內容上，雖說是個人的創作，也可以說是社會文化的資產。因為，不僅是抒發感受，表現人生；同時也觀察和描繪社會真象，甚至以悲憫的心情批評社會，企圖達到改造社會的教化作用。

是以，作者在第四輯「關懷組曲」十二首作品之中，有哀陳昱捷小朋友遭歹徒勒斃的〈變色的童年〉，有哀彭婉如女士被害的〈那一夜〉，有聞中學生自殺有感的〈悲劇〉，更有為九二一大地震記事的〈秋殤〉及為九二一地震孤兒們而寫的〈碎碎的童話〉。

作者不僅僅是描寫國內的重大社會事件，其筆觸更擴及到全世界矚目的英國黛安娜王妃事件有〈哀黛妃〉的詩作。除人之外，女詩人更擴展到寫給擱淺的幼鯨〈安息〉。

這種關懷社會，反映社會的系列作品，正是作者目有所視，心有所感，以關懷悲憫的仁慈之心，反映社會真象，應和了時代的脈動。作者的這種襟懷不正是儒家所闡發的「親親而仁民，仁民而愛物」的最佳表現。

春有百花秋有月，夏有涼風冬有雪；
若無閒事掛心頭，便是人間好時節。

雲門禪師在詩中那種曠達、樂觀的態度固然令人欣喜。

然而，我們生存在天地之間的人間世，偏偏是如此的不安寧。天災，本就是防不勝防，但人禍卻更令人觸目驚心，惶惶不可終日。

古聖先賢為我們建構的「夜不閉戶、路不拾遺」的理想境地，簡直就是一種難於登天，不可企盼的奢求。

人自稱為萬物之靈，既稱之為靈，那麼，心靈世界的開拓與充實，自當是一件重大的工作。儘管人們「熙熙攘攘，皆為利往」的追逐物質生活的享受。滿足口腹之欲求，心靈空虛，精神枯寂，被日益物化的欲求所蒙蔽、所傷害。

詩人曾美玲，也有如此的體悟，請讀她的〈裸〉及〈舞〉：

「脫掉層層俗慮／重新穿上／嬰孩的微笑／我是忍不住／沸騰的陽光／／飛出文明的牢籠／悄悄飛回／自然／母親般靜謐／溫柔的呼喚」（裸）

「自封閉的形體／掙脫牢固思維／將綑綁的靈魂／全部釋放／／出入今昔／縱橫天地／我是莊周的一則大夢／幻化的蝶」（舞）

我們生存的社會，在眾多的人、事之中，本來就被俗慮所糾纏，沉溺在事有俗事，人有俗人的泥淖裡不可自拔，但，如何擺脫隨俗起舞，必須回歸自然。

詩人在對自然的靜觀與默察中，深深地體悟到自然的無窮奧妙與生機。是以，竭力的要脫掉層層俗慮，悄悄飛回自然，將綑綁的靈魂全部釋放，欣欣然縱橫於天地之間，幻化為莊周大夢中的蝶。在〈裸〉與〈舞〉二詩中，透過作者深刻的觀察，在心中吶喊著急欲擺脫俗慮，回歸自然，尋找人生的歸宿，提高人性的昇華。

托爾斯泰曾說：

藝術像一架顯微鏡，藝術家用它揭示自己心靈的秘密，向所有的人顯示出人們共有的秘密。

曾美玲的詩，正展現了如此的功用和魅力。

人可以分為兩種，一種是情趣豐富的，對於許多事物都覺得有趣味。一種是情趣枯竭的，對於許多事物都覺得沒有趣味，祇終日拼命和蠅蛆一塊爭溫飽。後者是俗人，前者就是藝術家。

朱光潛在《談美》一書中，深刻的洞察出人們在這滾滾紅塵中，汲汲營營，兀兀窮年的所展現的人類的欲求，有了最恰當的詮釋。

詩人，當然就是藝術家了。

《囚禁的陽光》表現的面相十分廣闊，我只摘其一而闡發。

其他，像第二輯「相對論」二十四首詩作，皆以精準而簡短的四句形式來表達雙軌題目的內容，可以說是作者獨到之處，令人讀後，餘味無窮。

梅聖俞「續金針詩格」云：

「詩有內外意，內意欲盡其理，外意欲盡其象；內外意含蓄，方入詩格。」

「相對論」輯中的作品，可說是內外意兼顧，不再詳述。《囚禁的陽光》收錄了好幾首為兒童寫的詩，如：〈康乃馨〉、〈秋天〉、〈長頸鹿〉和〈盪秋千〉等，若能將其他有童詩意味的作品集為一輯，更能突顯作者為兒童寫詩的美意。不知作者以為然否？

我們用鏡子，映照自己的軀體；
我們用詩歌，映照自己的靈魂。
詩人們，讓我們共同努力！

・民國九十年二月發表於《葡萄園》一四九期

隔岸詩人邀我吟

・評介劉峰的《泊進陽光》

出版：南方出版社

中國以農立國，農業社會，日出而作，日入而息，工作是固定的；耕讀傳家，自食其力，生活是傳統的。今日社會是多元的，不是安定的靜態的農業社會，而是競爭的動態的工商業社會。由於工商業社會迅急興起，導致農業社會逐漸衰微，農村人口競相湧入都市，年輕的一代願意從事農耕的愈來愈少。他們寧可脫離昔日恬靜、淳樸、安謐的田園生活，投身於大都市的塵霧中，遮蔽了靈敏的視野，窒息了純淨的心靈，在功利主義的漩渦中，失去了控制而隨波逐流；在貪婪的欲求下，迷失了自己而奮力衝撞。

放眼今日「天下熙熙，皆為利來；天下攘攘，皆為利往」的社會現象，形為物役，竭盡思慮，枉顧義理，行不由徑，爾虞我詐，以利相傾。於是，使得人們的生活情趣頓失，你我情分澆薄，人際關係疏離，社會道德衰微，怎不令人憂心忡忡！

詩人劉鋒的觸角是十分敏銳的；尤其從小就跟隨著父親在田野耕作的身影，在對大自然的靜觀與默察中，深深地體悟到自然的無窮奧妙與生機。對古聖先賢所稱：「四時行，百物生」、「天地與我並生，萬物與我為一」的訓勉，有更深切的契合。是以回歸自然，擁抱自然，與自然化合，俾能達到物我不分的境界，成為人劉峰詩歌創作的一大主題。我們從《回望鄉土》組詩中可得到最佳的明證。

大地
再次以金屬和植物的聲音
反復辯論父親的背後
倒下一片秋天」
——鐮

農人的生活，在春耕夏耘，秋收冬藏，隨著季節的遞嬗，不息的循環著，有耕耘的辛勞，有收藏的喜悅！自食其力，自得其樂，彰顯了生命在奮鬥中不可輕忽的意義。

蹄聲在前
琴聲在後
古老的琴手

以一條深深淺淺的泥線
引領一首民歌的走向」
——犁

以琴聲象徵農人握犁耕地的技巧，復以古老的琴手象徵熟練犁地的老農，表現突出而有韻味。

另外，〈鋤〉詩，亦復圍繞此一主題發揮。頌讚自然，謳歌田園，親炙泥土，耕耘為樂，真正達到了「不言春作苦，常恐負所懷」的境界。

詩大序云：「情動於中，而形於言」。文心雕龍知音篇亦云：「夫綴文者，情動而辭發，觀文者，披文以入情。」情之為物，足以左右人生的導向，驅遣生命的動力，增添人世的歡樂，製造生活的悲苦。情，具有多大的威力，佔著多麼重要的地位。

詩人劉峰的詩作，大多為「緣情體物」之作。傅庚生先生曾說：

「讀真情之作，如食橄欖，初尚疑其苦澀，回味始覺如飴，而其芳馨永留齒頰間；非然者如嚼甘蔗，初似蜂蜜輸甜，忽已渣滓在口，既無餘味，吐之為爽矣。」

讀詩人劉峰詩作，恰如口含橄欖般，愈是品味咀嚼，就愈能察覺其甘美清純質地。使你口齒生津，心神舒爽，久久沉迷其中，難以忘懷！

就〈鐮〉與〈犁〉兩詩的結尾：

父親的背後
倒下一片秋天
——鐮

今冬的小麥
長勢良好
——犁

兩詩結尾相互排比，前者給讀者留有很多想像的空間，韻味無窮。後者結尾，純以敘述方式表達，與該詩前三段相比，顯得稍弱，較為直率，缺少迴環的餘味。

元遺山與張仲傑論文詩云：

文章出苦心，誰以苦心為？
正有苦心人，舉世幾人知？

這豈不是詩人劉峰從事詩歌創作的最佳印證！元遺山又云：

文須字字作，亦要字字讀，
咀嚼有餘味，百遍良未足。

欣賞詩人劉峰的詩作，也應該抱著這種態度，定會有所體悟與啟發。詩人用心靈的眼睛來觀察這個世界，讀者也應用心靈的眼睛欣賞詩人的作品。

・民國九十年五月發表於《葡萄園》一五〇期

少年讀書，如隙中窺月。中年讀書，如庭中望月。老年讀書，如台上玩月。

雲過山腰細搖風

・評介潘皓的《雲飛處》

出版：文史哲出版社

從中學時代起，就對現代詩近於狂熱癡迷的詩人潘皓，繼出版《微沁著汗的太陽》、《在莒集》及《夢泊斜陽外》之後，又出版了《雲飛處》的詩集。《雲飛處》共分四卷，詩人潘皓頗具匠心的自一九六六至一九八一先後長達十六年之久從創作豐富的作品中，每年精選出五首，每四年為一卷。總共收錄詩作八十首，說《雲飛處》是詩人潘皓的詩選集，當也不為過。

個人讀書有個習慣，凡是新書在手，必先閱讀作者的自序或後記之類的文章，然後再看他人的序文或評介。因為這是開啟一本書的鑰匙，門打開了，自然可一窺全書的堂奧。

正如詩人在自序中說：

> 我寫的詩，多半是記錄漂泊的歷程，是人生苦難的重現；同時也是在訴說戰爭帶給

我們這一代人悲歡離合的縮影。

職是之故。我們就可以窺知《雲飛處》詩集中內容的梗概了。

曾有一位電台節目主持人說：「一字頭年代出生的人，命最苦；五、六、七字頭出生的人最幸福。」這話的確不錯，試想：那個年代出生的人，誰能躲過戰禍離亂的波及呢？即使是乘風破浪，驚魂甫定的在寶島落足之後，似乎得到了一個喘息的機會，然而，當落霞夕照的黃昏時分，三五好友，把酒望月，多少童年往事，多少故國舊夢，都緊緊的抓牢在人們的話題之中。此時、此地、此情、此景，真的是「鄉淚客中盡，孤帆天際看」，怎麼能不淚濺衣袖，魂飛夢馳，思我故鄉呢？

是以，從有人類就相偕而至的鄉愁，割不斷，解不開，只好任其滋長，蔓延在人們的心田。鄉愁啊！這千古吟唱不絕的悲歌。

詩人潘皓在《雲飛處》一書中，不少詩作都流露著強烈的思親懷鄉的摯情。

這島上　正成長一個年輕
浪子的夢
　夢著復國
　夢著懷鄉

西風裡濤聲
已喊得有些嘶啞
於是我把凝眸擲向雲天
讓夢魂
獨愴然歸去

——時間的河

——鄉關何處是

可是我依然
看到那雲深不知處
有來自天上黃河之水的奇歌
長江三峽的險峻
以及故國石頭城外的
那「霜葉紅於二月花」的棲霞
楓火之美
正在異國雲間

流成一直飄浮的圖騰

——異國雲天外

於是在我心靈的深處
那已被吟哦得稀爛的還鄉夢
正如同難忘的童年一樣
在今夜這黑色的驚恐中依然存在
依然會徜徉於
神州那十萬里平疇

——黑色的詭異驚恐

於是我一轉身
竟跌落在鄉思的泥淖裡
沿著來時路
一路走回到童年

——這兒不是杭州

儘管這裡也是中國
我依然要
踏月乘風歸去

——儘管這裡也是中國

古有「烽火連三月，家書抵萬金」的深刻感受，試想睽違故土家園長達數十年之久，真可以說是「雲深黑水遙」，「夜夜鄉山夢寐中」，豈只是「痛酷摧心肝」所能刻鏤出「權把他鄉作故鄉」的遊子情懷於萬一。

詩人潘皓從事教育及社會工作之研究近四十年，至今仍在中部朝陽科技大學任教，並擔任中國社會工作協會秘書長。

農人生活，雖然春耕夏耘秋收冬藏，日出而作，日入而息，刻板、呆滯，一成不變，但卻隨興，可作可息，不受外力牽制與干擾，而公教人員卻事事受干擾，時時受牽制。所以，詩人也曾吶喊著：有一天當壓力被煮到沸點／那份激情便會／從燃燒中猛然爆裂。有了這種生活在都市文明裡的忙碌感與人海茫茫喧囂中的困頓感。詩人更在〈一隻沒有自由的鳥〉中首兩句：藉著風與線的操作，讓這彩繪的浮雕翱翔於天上。詩人將風箏與鳥經過類似的聯想，揉合在一起。但鳥在天空可自由飛翔，而風箏卻是藉著風與線的操作，顯現出欲飛而不能自主的悲哀與無奈。是以詩人在該詩結尾末兩段，就有如斯的感嘆：

每欲展翅
但不知怎樣才能掙脫
那條牽引線
成了我一個死結

可是在此刻
我只是一隻沒有自由的鳥
任憑他人
牽著鼻子飄搖

這充分流露出那種受到牽制受到干擾，不能隨心所欲，心靈飽受桎梏的戕害所壓擠出來的呼聲。企圖欲藉詩作一吐為快。

詩人潘皓在這塊土地上生活了數十年，當然也十分熱愛這塊土地，關心這塊土地。所以，詩人在《雲飛處》八十首詩作中，依序有：〈台北圓環夜市〉、〈青草湖滄桑〉、〈復與橋畔路燈〉、〈阿里山日出〉、〈樓蘭山景〉、〈福隆的七月〉、〈基隆廟口的鄉土小吃〉、〈花蓮港剪影〉、〈阿里山神木〉、〈日月潭畔的向日葵〉、〈玉山蒼鷹〉、〈風城之夜〉、〈台北的天空〉，以及〈影子〉等十五首詩是描繪台灣著名且詩人曾親臨其地其景所留下美好的烙印。也足以說明詩人藉著詩作訴諸視覺感官把台灣的民俗風情、美麗景觀，一一呈現在讀者面前，使讀者有身臨其地其景的真實感受。

《雲飛處》這本詩集榮獲「第五屆詩歌藝術創作獎」的殊榮，是有其道理的。期盼詩人潘皓在作育英才從事社會工作之餘，能創作出更好的作品。

・民國九十年十月發表於《乾坤》二十期

張心齋妙語錄

凡事不宜刻
若讀書則不可不刻
凡事不宜貪
若買書則不可不貪

現實與夢想之間

・評介吳淑麗的《紫茉莉》

出版：詩藝文出版社

《紫茉莉》是女詩人吳淑麗耘詩二十年來所出版的第一本詩集。在未結集出版之前，詩人吳淑麗即於二〇〇〇年六月榮獲全國優秀青年詩人獎，得獎之後，適時出版了《紫茉莉》詩集，足見她從就讀嘉義高商時即踏入詩壇，二十年來，默默地耕耘、成長、茁壯，終於有了開花、結果豐碩的收成。值得擊掌祝賀。

1

《紫茉莉》集結詩作百首，分為四卷；卷一青蘋果十三首，卷二繁花二十七首，卷三月影、卷四心笛各三十首。

梅聖俞曾云：「作者得於心，覽者會以意。」女詩人吳淑麗詩集命名《紫茉莉》，而且該書封面封底全係紫色，連書內詩文也全用紫色色系印製而成。於是，我不厭其煩且十分好奇的找尋「紫」與「紫茉莉」有關的資料。

「紫」代表高貴、神秘、優婉、壯麗而永遠。「紫茉莉」，植物名，紫茉莉科。一年生草本，高可一公尺，葉卵形而尖，柄長對生。夏日開花，花形成漏斗狀，紅色、白色或黃色。每夕開花，一夜凋落。種子白色，有粉狀之胚乳。名見秘傳花鏡，又有草茉莉、白粉花、臙脂花等名，俗名夜繁花。詩人稱名字典雅的「紫茉莉」其實是毫不起眼的「煮飯花」，使我又增多了一些見聞。

據此，就可窺知詩人詩集名為《紫茉莉》的緣由了。

詩人揚喚曾說：

「詩，是不凋的花朵，但必須植根於『生活』的土壤裡。」

毫無疑問：「生活」可以說是寫作的泉源。一個從事文學創作的人，創作的內容欲求豐富，一定要充實自己的生活；要使自己的生活充實，務必要用眼睛多觀察，用心靈多體味，用腦子多思考。

已故知名詩人覃子豪就曾說：「詩人的生活愈充實，詩也愈豐富，其詩就愈富生命力。所以，詩人的生活範圍要廣，詩人的生活體驗要深。」

據詩人彩羽的序文及作者在後記中所述，詩人吳淑麗一出校門跨入社會，職業的更換頻繁而多樣，其先後在職務上，做過售貨員、倉管、美工、安親班教師、經營油漆店、家庭代工、社區義工等等。請看〈日記〉一詩：

日記

把丈夫送出家門
抖落妻子外衣
孩子送入學校
鬆口氣
卸下媽媽的重擔

我是飢渴的蠹蟲
書堆裡貪婪進食，企圖
灌溉心靈荒漠
墨香中泅泳
窗邊看浮雲
獨享一盞香茗

拖把隨樂音縱橫
歌聲中，菜香四溢
巧手裁製
一室繽紛妍麗

眾弦俱寂
搜尋一顆顆閃熠的星
凝為詩句，穿成
串串，懸掛
夢中

在傳統的農業社會中，有所謂「男主外，女主內」以及「巧婦難做無米炊」的牢固觀念。在工商業急速發展、科技日益昌明的今日社會，強調女、男平等，女士們不僅爭取到應享有的權利，但也相對的加重了更多的責任。所以，女士們不僅僅要在家相夫教子，同時也要拋頭露面，謀職就業，擔負起家庭經濟來源的主要的一員，豈僅是為了貼補家用。

從高二暑假就遠離故鄉到三重打工的詩人吳淑麗，二十四歲就升格做了母親。為了生活、奔波、忙碌，像陀螺似的不停旋轉。在各種職場上企圖尋求一份更適合自己的工作。

儘管詩人吳淑麗在生活上忙得團團轉，仍不忘在忙碌的生活中，追求生活情調，滋潤枯寂心靈。詩人在〈日記〉一詩中，將丈夫和孩子安頓好之後，在該詩的第二段中描繪：

「我是飢渴的畫蟲／書堆裡貪婪進食，企圖／灌溉心靈荒漠／墨香中泅泳／窗邊看浮雲／獨享一盞香茗。」這是一種多麼難能可貴的在忙裡偷閒，獨自為生命輕啟一個窗口，讓和風吹拂，呼吸鮮美的空氣，享受璀燦的陽光。

以生活為基調而完成的詩作，除了〈日記〉之外，其他如〈北行日記〉、〈曬穀〉、〈白髮〉、〈依稀歲月〉、〈皺紋〉、〈主婦〉等，都有很適切的表現。

人，終必是要死的。這樣的結局，在人呱呱落地時，就已經註定。從此，就一步步的向死亡靠近。儘管有「重於泰山，輕如鴻毛」之別，但死，對人來說，只是早晚而已。

人的生命，有時候顯得多麼脆弱呀！自然的天災也好，人為的禍害也罷，隨時都威脅著人的生命。當你漫步街頭，就會看到生死關頭，馬路如虎口，觸目驚心的顯現著。人，天天都在冒險，天天在死亡邊緣蹀躞著，以死亡為敵，但誰又能戰勝這看不見、摸不著的敵人呢？

詩人也毫不忌諱的在《紫茉莉》詩集中，觸及「死亡」的課題。如〈雙福山公墓〉、〈殯儀館〉、〈急診室〉、〈留言〉、〈死亡〉、〈賦別〉等詩作，或多或少，或顯或晦的在描繪「死亡」的種種。「死亡」，猶如一幅巨大的陰影，覆蓋著人類。一如那網以及網中的魚，誰能幸運的是那漏網的魚呢？

2

古人曾說：「學詩如學仙，時至骨自換。」文辭的運用，在鋪陳思想觀念，亦在表情達意。作者具有了淵博的思想，精確的觀念、豐贍的感情，宏廣的旨意，務須依靠適切的修辭、精準的文字，順暢的語言，表達的形式來一一呈現，始能引起讀者的共鳴！故古人有賦詩十首，不若改詩一首之說。所謂「吟成五字句，用破一生心。」這又是多麼地嘔心瀝血，鄭重其事啊！

為詩為文，重在吸取養分，猶如食取充腹，腹空而不食，必受飢餓之苦。是以，不吸取養分，搜斷枯腸，絞盡腦汁，依然是詞窮意盡，空疏寡實，無以為詩的養分。

養分來源，一是讀萬卷書，行萬里路；一是體味生活，珍惜生命。

詩人吳淑麗，專精美工，受國文老師的啟蒙、學長的指導、詩人彩羽的鼓勵，兼及詩文，終於有成。先後利用餘暇學美食、學洋裁、中國結、習書法等，最近又進入空大進修。這種勤奮學習，努力向上的精神，相信在《紫茉莉》詩集之後，能讀到她更多詩文作品，我衷心的期待著。

・民國九十年十一月　發表於《葡萄園》一五二期

守得雲開見月明

・評介王學忠的《挑戰命運》

出版：內蒙古人民出版社

日前接到河南同鄉安陽市詩人王學忠先生惠贈的詩集《挑戰命運》，內附作者盼我寫篇評論的短簡，另有石家莊作家劉章先生三月十八日在病床上執筆的推荐函。使我興奮不已！

俗話說：「親不親，故鄉鄰。」記得一九九三年六月，河南大學出版社，由張俊山教授策劃選評的在台豫籍十人詩選《遠天的星群》，書前有著名詩人蘇金傘先生的序文。蘇先生在序文中說：

> 此時，手執一卷在台豫籍詩人詩稿，鄉誼親情，洋溢胸臆，令人倍感親切。

如今，我捧著《挑戰命運》，和老詩人蘇金傘先生有同樣的心情，同樣的感受！

一九九五年隨「九歌行」訪問團在大陸進行長達一個月訪問時，於九月二十五日在石家莊由河北省文聯副主席浪波先生主持的座談會，與作家劉章先生有一面之緣，惜因時間匆促，未能深談請益，引以為憾！現在捧讀他在病中書寫的信函，感到格外溫馨。

基於以上原由，我提起筆，欣然從命。不過，談到評論，愧不敢當，僅就個人讀完《挑戰命運》一書，擊節歎賞之餘，對書中的微言大義，片箋片玉，足以令人感心動耳，不能自已，是以將觸動我心弦的餘韻，略陳一二罷了。

《挑戰命運》一書，是詩人王學忠繼《穿衣裳的年華》、《善待生命》及《流韻的土地》後所出版的第四本詩集。全書分為我不祈求，太陽的顏色，沉思集，挑戰命運及附錄等五輯。前三輯是詩，其中沉思集為精簡的警句短詩，除了一首題為〈根治腐敗〉只有一行兩個字：「絕育」之外，一題兩行的有七十七首之多，其他，三至八行的不等，計一百一十一首。第四輯收錄了作者九篇散文。第五輯收有名家對詩人王學忠作品的評論。十篇評文中，八篇是對《善待生命》一書的評介，二篇是對《流韻的土地》一書的評介。

著名作家魯迅說：

「所謂作家，是用強韌的生命力去觀察人世，去體驗人世；在經過鞭捶和打擊，而激發出有血有肉，有恨有愛，有哭有笑的新宇宙，來與你我共同生活的人。」

請看下列的詩句：

天空有陰，有晴
民工們每天都是綳緊的弓
即使偶爾頭痛腦熱
喝碗薑湯歇上半個工
翌日起來
照樣是一座雄性的山峰

——中國民工

蹬得動要蹬
蹬不動咬牙也要蹬
就像做了一回上弦的箭
只有折了
句號才算畫得完整
⋯⋯
旋轉的三輪車輪子

是城市的一道風景
旋轉在隆冬的冰雪裡
炎夏的烈日中
汗珠子淌在黃昏，也淌在黎明

——三輪車夫

下崗不是死亡
卻是實實在在的斷錢，斷糧
唉，身後的妻
　懷中的兒
　床上的娘
他們同時將雙手伸出
伸出每個生靈都具有的求生欲望……

——然而，我不屬於下崗工人

刀鋒伸向雞的脖頭
雞沒有淚

廠長一聲「下崗」
多少人淚如雨下

——淚

粗覽《挑戰命運》書中的詩作，除了摘了上述的片段詩句外，其他如〈請給我些同情〉、〈我不祈求〉、〈不滿〉、〈小屋〉，以及〈詩為陌生的小妹而哭〉等作品，都充分的代替平民百姓生活艱苦而無奈的真實情況的宣示與控訴。這正如西方詩人尼采所說：在一切文藝作品中，他獨愛用血寫成的。《挑戰命運》一書，正和這種觀點相契合。

著名詩人申身先生在〈辛苦為詩詩竟成〉的序文中，轉換古詩為「誰知書中詩，句句皆辛苦。」其意是對詩人從事創作時，那種嘔心瀝血的艱苦歷程所表達的天道酬勤的稱讚美意。這也正吻合了元遺山與張仲傑論文詩云：

文章出苦心，誰以苦心為？
正有苦心人，舉世幾人知？

然而，我從另外一個角度來觀察、思考，將「辛苦」二字換作「血淚」而成為：「誰知書中詩，句句皆血淚。」這完全是讀過詩人王學忠所著《挑戰命運》一書後，窺知詩人在創作時選取的素材，表達的主題，謳歌的對象，大都是我們周遭平凡得不能再平凡的而且活生生的小人物的真情實事。只要你肯走向較為偏僻的城鎮鄉村，走向社會底層在陰暗角落生活的人群，這些真實的場景，就會在你的眼前展露無遺。

當然，作者不僅僅只是在作品中消極的為平民代言，吐露心聲，更積極的向有權有勢的為政者大聲的吶喊，呼籲，看看那些肯為百姓設想文官武將是多麼的令人尊敬與懷念。

如題為〈想起那年的紅軍〉：

想起那年的紅軍
便想起了一位橫刀立馬的將軍
炮隆隆　車轔轔
為了救人民於苦難
硝煙瀰漫的征途上
燃燒著無數個淌血的黎明與黃昏
…………

想起那年的紅軍
便想起一位將人民冷暖繫在心上的人
風蕭蕭　雪紛紛
手拉著大娘炕頭上坐呀
撈罷缸裡的米
再撈灶內的薪
…………

又如〈此刻，你是不會想到〉一詩：

…………
此刻，你是否會想到
那些一懷愁緒的下崗者
遺落在秋風中的淚滴
…………
此刻，你是否會想到

小城腳下的那戶人家
守著病中的媽媽　嗚嗚哭泣

另外，在第四輯〈挑戰命運〉一文中，記述被國企媽媽拋棄，呼天，天不應，呼地，地不靈的情況下，開始以擺地攤謀生。這種艱苦的窘迫情景，任誰目睹，都會鼻酸！〈貓咪〉一文描繪家人與寵物相處，其樂融融，直到貓咪死去，仍令人思念不已之外。其他七篇散文，大都是刻劃作者身邊最熟悉的人物的點點滴滴，悲苦淒涼現實生活的際遇。套句作者的說法，為這些人的遭遇作一概括的總結，那就是：

它是一行淌血的腳印
烙在活生生的現實裡

儘管如此，作者在諸多無奈中，內心深處仍蘊藏一絲絲的期盼與希望，猶如破曉時分初升的曦光一樣，充滿了色彩耀目的未來在閃爍著。

在〈春天來了〉一首詩的最後一段：

春天來了，實實在在的來了
你打開窗子，打開窗子
黎明的葉片上
那顆顆晶瑩的露珠就是通知……

亞里斯多德說：

人的描寫居於文學的首要地位；而人生勢必成為文學表現的主要對象，或文學表現的核心問題。

《挑戰命運》雖非小說，但在人物的刻劃與人生深廣的觀照上，在詩作的表現來說，的確是具有啟發性靈，洗滌胸襟，將注視的焦點，集中在多數平民的身上，多聽、多看、多用心；如此，才是人民之福，國家之幸。

德國大詩人歌德曾說：

真正的詩之所以稱為真正的詩，是因為它像是現世福音那樣，借其內涵的明朗，外表的舒暢，使我們得以擺脫壓在肩上的塵世重負！

但願詩人王學忠以及從事詩創作的詩人群，共同努力，通過詩藝術的創作，多將我們攝取的題材，面向群眾，面向平民，使我們的詩像燈塔一樣，是導引著船隻走向港灣的光芒，也能夠散發一片暖暖而又溫馨的火花。

・民國九十一年六月發表於《海鷗詩刊》二十七期

西望鄉關愁未醒

·評介魯松的《霧鎖陽關》

出版：詩藝文出版社

1

《霧鎖陽關》是詩人魯松繼《蒼頭與煙斗》與《鑼聲三響》之後所出版的第三本詩集。《霧鎖陽關》分為青山有約、蒼顏已老、霧鎖陽關、龍吟千禧、狂想組曲等五輯。

詩人文曉村在〈落木蕭蕭風不息〉為題於《霧鎖陽關》一書的序文中解析〈霧鎖陽關〉一詩說：理解本詩的關鍵，在『陽關』一詞。

既然以〈霧鎖陽關〉一詩作為書名，「陽關」一詞是重要的一把鑰匙，欲一窺全書堂奧，有補充說明的必要。

陽關：

❶**古關名**：位於甘肅敦煌西南。自古與玉門關同為出塞之地。陽關居玉門關之南，故曰陽關。王維有「西出陽關無故人」的詩句，即指此。

❷古地名：

⑴春秋魯地。在今山東寧陽縣東北。

⑵漢之陽關聚，在今河南省禹縣西北，舊時地跨潁水，謂之東西二土城。

當然，詩人在用「陽關」也只是借喻。正如作者在以〈樹高千丈，落葉歸根〉為題於該書的後記中說：

> 全書收詩八十一首，書名曰《霧鎖陽關》。取其樹高千丈，落葉歸根，惟海峽兩岸，雲山霧鎖，不知何年何月，才能重見故園？

在《霧鎖陽關》輯三中作者更進一步解析說：

> 海峽兩岸，歷史文化，同根同源，而歷經半個世紀，陰暗未定，不僅常懷「終老異鄉」的煩憂。

據此而論，作者所說的「陽關」，當不言而喻。

2 叔本華曾經說：「前四十年生活教給我們的是生命的正文，後三十年教給我們的則是註解。」

現在，咱們也都到了「眼昏書字不著紙，耳重聽言常問人」的境地，漸漸地老態畢露，也到了「隨心所欲，不逾矩」的年齡，正為生命作註解的時候。但願每一個人的註解最真實，最精彩。而詩集的出版，也該是為生命作註解的方式之一了。

在《霧鎖陽關》詩集中，詩人不少的詩作在形式上，都是段落分明，結構嚴謹的作品。在全書一百首詩作中，雖然有一段兩行或一段七行不同行數分段的作品中佔了八十七首。我的看法是在第五輯〈狂想組曲〉中，以〈拾穗〉為題的組詩中，例如子題〈失眠〉：

一個人
睜著眼
做夢

這首詩雖然短短三行，但是一個獨立生命的呈現，所以，我把這也看成一首詩。〈狂想組曲〉的作品，皆是如此，這是我和作者所說全書收詩八十一首不同的看法

在十三首句型不固定的作品中，如：

〈老人與牛〉一詩其句型是三四五五四三。

〈釣魚台的風雲〉一詩其句型是三四四四三。

〈暮春記事〉一詩其句型是三六六六六三。

〈古堡〉一詩其句型是六五五五五六。

雖然和前述詩作，不是以固定行數分段，但在整首的表現，仍然可以說是形式工整的作品。

3

「時光催人老，歲月不饒人」。嘆「老之已至」大概也是這本詩集的主題之一。想當年，二十琅璫歲來到台灣，權把異鄉作故鄉。如今，連孩子、孫子都有我們那個時候的年齡了，怎不令人感慨萬千呢？

那年，浪跡天涯路
人在泥濘中奔波
乾脆買舟南渡
一片冰心萬里愁

——杏花雨

深山無甲子
樹比人長壽
來此已是稀有的訪客
諦聽鳥語、風嘯。

——蒼顏已老

如果青春永在
我將品味來時的巔簸
從水上遙遙的千里外
為避狼煙遭受的折磨
是值得咀嚼的

——綍夫

隨意摘錄作者詩中的詩句，就能觸摸到作者心弦的瓊音。

古人曾云：「海有千年龜，山有千年樹，世無百歲人。」儘管醫學科技如此發達，進步神速，然而能活到百歲以上的人，究竟是少之又少。活到百歲以上而又健康、快樂的，更是鳳毛麟角。

《霧鎖陽關》詩集中，另一個顯明的主題是「濃濃鄉愁」。

匆匆五十載，返鄉探親
我把更多的泥水添在
娘的墳頭上
卻治癒不了

娘的睡眠症
我心中的長河喲
——鄉土

不是長江，也不是黃河
而是家園門前的一條小溪。
童年，在夢底河畔捉泥鰍
在兩岸的草坪上鬥過蟋蟀。
——遠流

而赤地千里
歲月關不住的幽怨
在橘紅色的雲端吶喊
一群流浪漢，在瓦礫堆中
尋找自己的母親
——灰燼

鄉愁，從有了人類就相偕而來的一種情感。

這是千古以來的情結，解不開，割不斷，只好任其滋長，蔓延在人們的心田。當然，

「父母在，不遠遊」是人人所企求的夢境；然而，有多少人能終其一生享有這刻骨銘心的溫馨呢？

更何況置身在內憂外患，戰禍頻仍；或征討，或遷徒；人們不得不將深植於泥土的根鬚抽離，若蓬草，若浮萍，隨風飄揚，逐波搖盪，而最後不得不流落他鄉。是以背井離鄉的那種愁悵情懷，就隨即萌發，丟也丟不掉，甩也甩不開。鄉愁，就這樣深切的刺透了你的飢膚，糾纏著你的生命；盤據在你的心靈。因此，鄉愁，就成為文學家創作的素材，也因而豐盈了文學作品的內容。

鄉愁，的確成了千古吟唱不絕的悲歌！

魯松，也是少小離家，在動盪不安的局勢下，受盡了痛苦與折磨。不幸與災難，成了生命中不可或缺的伴侶。是以，在詩作中或隱或顯，或多或少，或濃或淡的透露著鄉愁的氣息。有怎樣的生活，就有怎樣的作品，這是不移的定理。

日夜思歸切，平生作計疏；
愁來仍酒醒，不忍讀家書。

儘管今日如此的開放，真的可以返鄉落腳，我們是否能夠有能力去調整適應。這又是一件頗為令人難以抉擇而又十分矛盾的事。

4

原本以「鶴田」為筆名的詩人孫宗良，不知從何時起，棄「鶴田」而改用「魯松」，仔細思索，是有其原因的。魯，山東省之簡稱也；松，歲寒後凋之木也；魯松者，山東之常青樹也。詩人孫宗良，山東省即墨縣人，如此更易筆名，自然而然，順理成章，別具深意，不言而喻。不知魯松是否同意我這粗淺的看法。

我提出孫宗良曾以「鶴田」為筆名，是因為我在四十九年九月十六日剛脫下戎裝，自謀生活，在屏東內埔以篩石子賺錢度日。十月五日也就是這一年的中秋佳節，鶴田、雪岱夫婦，特別邀我到彰化花壇，一方面是為我離開軍營而祝賀，一方面與詩人夫婦歡度佳節，共賞明月。

為了感謝他們的隆情厚誼，事後，我寫了好幾首以〈冷・失戀及其他〉的組詩，兼致鶴田、雪岱，該詩於四十九年十二月發表在一四七期「野風」月刊，其中有兩首詩都是追記當時相聚情景的。一首是〈拋鮮花的孩子〉是寫給鶴田、雪岱夫婦年幼的公子的，另外一首題為〈異鄉月〉的詩，是描繪共賞明月歡聚之後，激盪在心靈深處那種思親懷鄉的波濤，驟然萌生「**千里關山千里念，一番風雨一番寒**」的深切感受。這已是四十多年前的往事了，不知你們還曾記得？

・民國九十二年二月十五日發表於《葡萄園》一五七期

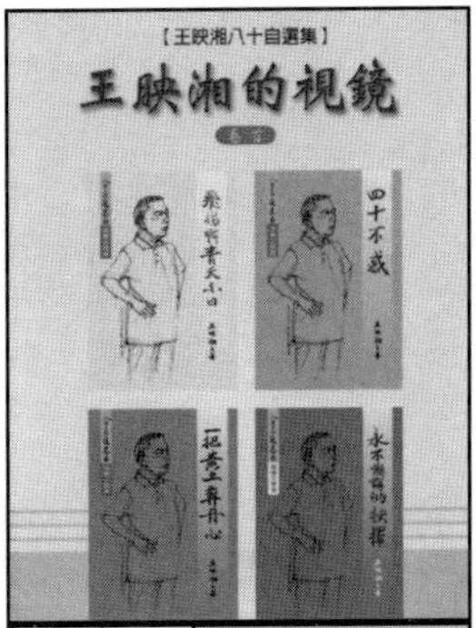

創作與教學並重

·評介王映湘的《八十自選集》

出版：文學街出版社

從王映湘作者年表中，可以知道作者在二十歲時即有散文和新詩的發表，當然，開始對寫作有興趣，當為時更早。時至今日，作者自費出版了皇皇巨著：《王映湘八十自選集》，其寫作年代，也越過一甲子了……。

1

映湘兄突發奇想，八十壽辰擬出自選集，電話邀我商議出版事宜。我一則以喜，一則以憂。

喜的是：好友年近八十，有此壯志，不僅出書誌賀，且可詩文傳世，的確值得喝采。

憂的是：今日景氣低迷，經濟蕭條，出版書籍簡單，但是行銷不易，何況所費不貲。

映湘兄意志堅決，不為所動，連我提出籌措財源的方法也不加考慮，決定自費出版。最初的構想是選輯散文、小說、新詩、戲劇，後來採納友人的建言，既然是八十自選集，何不出八本，名實相符，更有意義。於是從九十二年三月起就陸陸續續開始發稿，在緊鑼密鼓中編、排、校，經過半年的工作時間，本來就夠趕的；其間，映湘夫人徐紅玉老師也整理了一本《懷念萬能的慈母》最初的設計單是照片就有六百多頁，比文字還多。幾經精選，其中彩色照片三十二頁，黑白照片一六〇頁，內文四四〇頁，共六百餘頁，此「巨著」也一併趕工。我一直耽心無法如期完成。幸好，在壽宴當天，總算順利出版，呈現在壽星及眾多賓客的面前。

《王映湘八十自選集》依序是：

卷　　首：《王映湘的視鏡》
敘事史詩：《飛揚啊！青天白日》
中篇小說：《四十不惑》
短篇小說：《一把黃土葬丹心》
報導文學：《永不懊悔的抉擇》
戲　　劇：《養女竹》
新　　詩：《啊！啊！帆已遠揚》
旅遊文學：《尋幽探勝四洲遊》

2 散文：《早晨的妙會》

九月二十日這天，天氣晴朗、陽光普照；遠在澳洲及美國的子女，也都在前幾天趕回來，共同策畫、籌辦嘉宴活動的大事。在麗緻酒店樓下的大廳擺了鮮花和祝壽的字畫，佈置得十分典雅，一套八大本《王映湘八十自選集》和厚達六百餘頁徐老師的新作《懷念萬能的慈母》整齊的放在入口處的桌子上，十分亮麗而搶眼。上午十點左右，就有賓客來到會場，簽名之後，看看字畫，翻翻新書，無不喜上眉梢。大家除了分享壽星的喜悅之外，似乎都浸淫在濃蜜的藝術氣氛中。

熱熱鬧鬧，風風光光，席開二十多桌，親友們都衷心祝福壽星長命百歲，為文壇提供更多更美的作品，以收移風易俗、潛移默化的社教之功。

映湘兄在文壇耕耘六十年，作品幾近三十部，平均每兩年就有一部作品問世，更令人欽敬不已的是，他無論是散文、小說、戲劇、評論、新詩，其創作範疇，可以說無所不包，無所不能，無所不精。

3

八十自選集以文體而言就包含了新詩、小說、戲劇及散文。

新詩分為兩本，《飛揚啊！青天白日》是一頁長達三千多行的敘事史詩，描寫中華民國多災多難、波瀾壯闊、艱苦奮鬥、屹立不搖的歷程。《啊！啊！帆已遠揚》一書收錄的十首詩作，作為書名的一首就有一三〇〇行，最短的一首〈世紀也心疼〉僅有三十多行。至於作品完成的時間，有三十年代的作品，也有八十八年九二一大地震的作品；先後相差半個世紀，當然在創作時，作品的遣詞及風格，都有很大的差異。

4

小說分為中篇及短篇。

中篇小說《四十不惑》收錄〈四十不惑〉及〈小修女〉兩篇。

〈四十不惑〉是描寫台南玉井愛國志士余清芳因抵抗日軍慘遭絞刑而昂首就死後，其遺腹子余念中繼承父志，努力不懈，矢志奮鬥的故事。

〈小修女〉是作者在報上看到的新聞，激發作者的寫作動機，其內容是描寫小芬悲慘的遭遇，由於其出生於綠燈戶的家庭，遭到地痞流氓強暴之後而懷孕生子，幸而被慈善機關救助輔導，是以僅有十五歲稚齡的少女，發誓當了修女的故事。

短篇小說《一把黃土葬丹心》收錄十四篇作品，篇篇精彩可讀。

5 戲劇《養女竹》，收有單元廣播劇六篇，單元電視劇二篇。

映湘兄摸索著開始寫劇本，是受省新聞處主管省政廣播劇遙星先生的鼓勵開始的。他既沒有接受過戲劇科系的正規教育，也不是編劇訓練班出身的，但他憑藉著創作者敏銳的觀察和深切的體悟，居然也創作了七十餘部膾炙人口的劇本。這些劇本都已分別在中廣、正聲、漢聲等電台播出。

淡大教授黃美序在〈編劇：如何教、學〉一文中說：

> 劇作家和其他作家和藝術家一樣，必須深切地了解和體驗許多人生的問題，才能寫出有深度、廣度的劇作。

映湘兄不僅精於散文、小說、新詩，連劇本也十分可觀，真是羨煞人也。

6

散文《早晨的妙會》，乍看書名，還以為「妙會」是「廟會」的筆誤，品讀作品內容，方知作者巧妙的用心。

《早晨的妙會》中，三十二篇妙會鏡頭，是社會一角現象的縮影，也是映湘兄最新的力作。儘管歲月不饒人，年已八十且視力減退，身有病痛的映湘兄依然創作不輟，值得年輕的作家借鏡，作為效法的典範。

另外《永不懊悔的抉擇》報導文學和《尋幽探勝四洲遊》旅遊文學都屬於散文的範疇，皆值得細細品讀。

7

在創作的歷程中，作者先後榮獲各種獎項計有：國軍文藝金像獎、青溪文藝金環獎、聯勤文藝飛駝金像獎、教育部、省新聞處以及民間刊物徵文等；累計獲獎記錄達二十六次之多，這真一件難能可貴的事，更令從事創作者敬佩且又豔羨不已。

王映湘服務軍旅三十餘年，曾經當選國軍英雄，退役後又在教育界服務，除不斷的創作之外，更利用餘暇從事文藝教育的札根工作，王映湘不僅在高農擔任文藝社團的指導老師，更在台中市救國團主持文藝寫作班達三十個班次之多，每個班次八至十周不等，在時間上大都利用寒暑假。將近二十年寫作班也培養了不少已成名、已有著作問世的作家。

8

王映湘不管是在軍中服役或解甲在家，文學創作，是他一生堅持的信念，也是另一種事業的呈現，除了自己不懈的創作，更引導鼓勵青年學子們創作。他不僅兼任過雜誌的編輯工作，更擔任了台中市青溪新文藝學會三屆十二年的理事長。其間，除了推廣各種藝文活動外，並在每一屆任內，籌畫出版《青溪萬古流》，這三本先後出版厚達六百頁的藝文專集，收集了學會會員最優美的藝文作品。是以，我們可以說，王映湘不僅是勤奮的文藝創作者與教學者，也是藝文活動的推動者。

・民國九十三年三月發表於《明道文藝》三三六期

張心齋妙語錄

藏書不難
看書不難
讀書不難
能用不難

能看為難
能讀為難
能用為難
能記為難

詩似冰壺徹底清

・評介《楊火金短詩選》

出版：銀河出版社

寫詩十餘年，曾於一九九七年榮獲中華民國新詩學會頒贈優秀青年詩人獎的楊火金，在二〇〇四年三月於香港銀河出版社出版了第一本詩集《楊火金短詩選》。

由於該詩選一來要求短，再者係中英對照，版面、頁數拘限於一定的規格，所以，作者僅僅選了二十七首詩作，但願有那麼一天，能看到容納作者更多詩作的詩集出版問世。

在五十多年前早逝的年輕詩人楊喚說：

> 詩，是不凋的花朵
> 但，必須值根於生活的土壤裡

生活，可以說是一切藝術之母。生活貧乏，雖然也能產生藝術，但那些藝術品泰半是蒼白的、拼湊的；是以，要營求充實的生活，才能有豐富的、完整的藝術作品的呈現。

從《楊火金短詩選》二十七首精絕的短詩中，可以以小見大，以短見長，以樹見林，一窺詩人生活的內涵，粗略來分，包括有：現實的、愛情的、自然的、理想的。

詩人楊火金從中興大學畢業之後，即手執粉筆走上講台、舌耕餬口。從前是學生，坐在台下；現在是老師，站在台上，在這一坐一站之間，角色有了轉換。正如韓文公所言「化當世莫若口」的傳道授業，使學生於耳濡目染之中，獲致潛移默化之奇功。

如〈校樹椰子〉：

在樹間的光影中
所網住的
黛綠年華的夢
盡是燦爛微笑

風在樹的前面
影在樹的後面
追趕成搖曳婆娑
學子在樹的前後

嬉戲　追逐
幾度春秋

有怎麼生活，就有怎樣的作品，這只是學子勤奮苦讀之後，在校園裡生活休閒的一環。另外，如〈講台上的迷失〉也是描繪身為人師的深刻感受。

古人曾說：「藝者，德之枝葉也；德者，人之根幹也。」為人師者，誰不企盼自己的學生，破卷取神，處幽潛德，抱奇含光，深造有得呢？

詩大序云：「情動於中，而形於言。」文心雕龍知音篇亦云：「夫綴文者『情』動而辭發，觀文者披文以入『情』。」情之為物，可以左右人生的導向，驅遣生命的動力，增添人世的歡樂，製造生活的悲苦。足見情之於人，具有多的威力，佔著多麼重要的地位。

然而愛情是沒有公式可尋的，因其盤根錯節，複雜無比，真的是煎不斷，理還亂。當然有為愛情而歡笑的，也有為愛情而痛哭的。不管怎麼說，愛情是一體的兩面，有其甜美的一面，也有其苦澀的一面。

詩人在〈一封遲來的情書〉一詩中的二、三兩段有如下的描繪：

歲月被擠壓成薄薄的一張
橫躺在字與字間

這千行淚，要向誰哭訴
原是蒼翠如山的情啊
在墜入滾滾紅塵後
竟成茫茫白霧

這當然是愛情路上，一段苦澀的歷程。相反的詩人楊火金在〈愛情滋味〉及〈步上紅毯〉兩首詩中，沉醉於愛的醇酒中，享受愛情的甜蜜。

那天黃昏
第一次
端起愛情的杯
淺淺地嚐了一口
紅紅的臉頰倒映在
夕陽的光照中
天旋地轉　醉了

當兩顆心串在一起時
滴著的不是血，是愛
染紅了幸福之路

在〈愛情滋味〉的首段及〈走上紅毯〉第二段的詩句中，可以體悟到詩人由苦澀轉為甜美，享受到濃濃甜美的愛的蜜汁。

當愛情發言的時候，就像諸神的合唱，使整個家庭陶醉於仙樂之中。莎士比亞的看法，正是詩人楊火金愛情生活的寫照。

生活在這擾擾攘攘，紅塵滾滾的人間世，不管你是達官顯要，販夫走卒，能夠一帆風順終其一生的可以說鳳毛麟角，少之又少。或多或少的挫折，總是會有的，遇到挫折，受到委屈，更當面對困境激發鬥志，奮力向前，尋找宣洩的窗口，昂首仰望陽光燦爛的青空。經過磨難折騰過的生命，更能展現生命的光輝。

人生在世，飢索食，渴求飲，這是人類求生存的基本欲求。然而人之所以異於其他的動物，就是在飲食男女之外還有更為高尚的企求，藝術就是其中之一。飢而無所食，渴而無所飲，就會造成飢渴——物質上的飢渴；人生離開了藝術，同樣是一種飢渴——精神上的飢渴。

教學活動是有所為而為，受環境需要的牽制；藝術活動是無所為而為，是環境不需要而人高興去活動。所以說，在有所為而為時，人是環境的奴隸；在無所為而為時，人是心靈的主宰。

詩人楊火金在現實生活中，也不是事事順心事事如意的，所以，在詩作中數度提到「莊子」，甚至有：「那夜我夢見許由／在日月潭邊洗耳」。經由這些文學大家的表現及古代高士的典範，作為自己心靈受挫的慰藉與宣洩。

當然詩人更堅定的把持對詩藝術的鍾愛與執著，作為自己心靈的寄託。如在〈詩路二題〉中是最佳的註釋。尤其在〈踏上詩路〉僅有四句的短詩所揭示的，更為明澈。其詩如下：

一具在世俗中
被啃噬得體無完膚的軀殼
將死的靈魂
在這裡獲得了救贖

宋代文學大家歐陽修在《詩本義》中說：「古今人情一也，求詩義者以人情求之，則不遠矣！」

明代陸時雍在《詩鏡總論》有云：「詩人之妙，在一嘆三咏，其意已傳，不必言之繁而緒之紛也。」

《楊火金短詩集》雖然是短，但情意綿綿，那發自心靈深處的聲音，迴響在讀者的心湖中，掀起一波波溫馨的漣漪。

期盼詩人楊火金能有更豐富，更完美的詩作呈現在讀者的面前。

・民國九十三年八月發表於《葡萄園》一六三期

善讀書者
曰攻曰掃
攻則直透重圍
掃則了無一物

但見明月流清輝

・評介落蒂的《追火車的甘蔗囝仔》

出版：生智文化事業有限公司

捧讀落蒂先生的《追火車的甘蔗囝仔》，就像在濃密的樹蔭下與村童嬉戲、聊天，細數著台灣農村滄海桑田的變化萬千，翻閱一頁台灣農村迅速發展的軌跡，體味著村童們在成長過程中真實生活的風貌；淺嚐著在你我生命中都曾經經歷過的陳年往事。

落蒂先生，本名楊顯榮，國立高雄師範大學英語系畢業，國立台灣師範大學英語研究所結業，先後在民雄及北港高中擔任英文教師，常有詩、文在報章雜誌發表。並先後應邀在《國語日報》撰寫「新詩賞析」、《台灣時報》副刊撰寫「讀星樓談詩」以及《世界日報》湄南河副刊撰寫「小詩賞析」等專欄。

落蒂先生著有詩集《煙雲》、《春之彌陀寺》及《中英對照落蒂短詩選》；散文集《愛之夢》；詩評集《詩的播種者》、《中學新詩選讀——青青草原》以及與吳當合著的《兩棵詩樹》等。

落蒂先生先後曾榮獲「優秀青年詩人獎」、「詩運獎」、「詩教獎」及「文學評論獎」。

《追火車的甘蔗囝仔》是繼《愛之夢》的第二本散文集，該書集錄作者四十五篇質樸優美的散文。書前有《台時副刊》黃主編耀寬先生以〈出發吧！人生〉及散文家陳正家先生以〈庄腳囝仔情義濃〉為題的兩篇精彩細緻的序文，書後附有作者的〈代後記：我的母親〉和落蒂寫作年表。更難能可貴的是書前的序文和目錄共十六頁以彩色印製，顯得格外的新穎與醒目。

閱讀是心靈的旅行，讀《追火車的甘蔗囝仔》的確是心靈的一大饗宴。該書在台灣時報副刊連載時就曾斷斷續續讀過，當時就十分喜愛。如今，蒙作者厚愛，惠贈該書，從頭到尾，細加咀嚼品味，更是不忍釋手。恕我斗膽，讀過該書之後，粗略的劃分，該書從第一篇〈出發吧！新港〉到第二十三篇〈林家古厝〉大都是作者描繪家世背景、生活環境和在小學就讀的點點滴滴。從二十四篇〈南腔北調話鮮師〉到最後一篇〈雲影已遠颺〉是刻劃初中和南師求學的種種情事。

在窮苦的年代，鞋子是奢侈品，只有過年才穿，打赤腳走在碎石路上，又刺又痛，夏天熱燙難耐，冬天則奇寒無比。

在〈碎石子路的年代〉一文中的這段話，喚醒了我的記憶。那是隨軍來台，駐紮在湖口長安營時，常常會看到鄉村婦女，手拎著一雙鞋，赤腳走到靠近城鎮時，就在石子路兩旁排水溝洗洗腳，穿上鞋，很不自在的到城鎮辦完事，離開時又把鞋子脫掉，赤腳走回來，平時在家，不是赤腳，就是穿著木屐。連俺那老伴，直到小學畢業要參加畢業典禮時，才買了一雙新鞋穿。

是以，我們可以說，落蒂先生童年生活貧困艱苦的情境，就是台灣在那個時代的一個縮影。

落蒂的求學生涯，母親是一大支柱。所以，作者在〈狗咬鐵燈火〉一文中引用媽媽的話說：

「每一個孩子都是心肝寶貝，再苦我也要讓他念書！」

話雖如此說，但拗不過困苦的現實，所幸落蒂的妹子雖然年幼，且十分懂事，這成就了落蒂求學的一大助力。所以，在該文的結尾作者如此的描繪說：

「妹妹就這樣任勞任怨的工作者，替媽媽分擔了大部分家庭重擔，我之所以有一份不錯的教師工作，除了媽媽「狗咬鐵燈火」般的堅毅栽培外，妹妹在田裡拾穗，到醫院做下女遭虐待，在台南海安路的裁縫店日夜工作，這些都是我的畢業證書上的斑斑血漬，這些都是我的教師證書上的深深印記啊！」

落蒂先生走上文學創作之路，可以說是艱辛而漫長的。細讀《追火車的甘蔗囝仔》一書後，除了家世、求學之外，另一重要主題，應該是文學生活了。作者在該書中〈冒出文學嫩芽〉、〈那時我們還年輕〉、〈苦悶的年輕心靈〉以及〈人生座右銘〉等篇章都一再的提及從事文學活動的點點滴滴。是以，我從諸多篇章中試著將落蒂先生從事文學創作分為：潛伏期、耕耘期和收穫期。

潛伏期在於大量的閱讀，只在培養興趣、吸收養份。談到閱讀，當追溯作者小學五年級時在〈廟旁舊事〉一文中即癡迷的閱讀了《三國演義》、《水滸傳》、《封神榜》等等一些歷史演義書籍。之後，在求學的歷程中，先先後後閱讀了艾雯的《青春篇》、尼洛的《咆哮荒塚》、周增祥的《成功者的座右銘》、羅蘭的《羅蘭小語》、許達然的《含淚的微笑》王尚義的《野鴿子的黃昏》、李敖的《傳統下的獨白》、以及《中國詩選》、《十年詩選》等，甚至連詩人覃子豪為中華文藝函授學校詩歌班批改的詩作名為《詩的解剖》也涉獵深刻。

作者在文中提到那個年代，《文星》所代表的台灣青年思想軌跡。在當代的文壇，《文星》之於李敖，《皇冠》之於瓊瑤，是當時藝文界談論的話題。《皇冠》因為瓊瑤，銷路大增，瓊瑤因為《皇冠》而聲名大噪；這和李敖之於《文星》雖不能相提並論，但且有異曲同工之妙。

在上述篇章中，提及作者從事文學活動的事例不少，諸如：辦油印班刊、成立讀書會、編輯校刊、嚐試投稿等等。這之間，當然是「潛伏期」與「耕耘期」交相輝映，因果相循。

這些名家的作品，對作者產生了巨大的影響，因此，作者在〈人生座右銘〉一文的結尾說：

這些人生的座右銘，已經變成我身體的一部分，融入我的血液、我的骨髓之中，不論到七老八十，我都會保持昂揚的鬥志。

如今，經過數十年的耕耘，作者不僅出版有詩、文及詩論專書，且在數種書報闢有「專欄」。落蒂先生的成就在今日文壇有目共睹。正如傅庚生先生在《中國文學欣賞舉隅》一書中所說：

研究文學者，往往始之以欣賞，繼之以摹倣，而終之以創作也。創作與欣賞，尤相乘而相因，變革而遞進。

這是落蒂先生從事文學創作最佳的註腳。

在《追火車的甘蔗囝仔》一書中的兩篇序文中，台時副刊主編黃耀寬先生說：

在落蒂人生的道路上至情、至親、至性之處感人熱淚，落蒂並沒有將這些辛酸和點滴忘了。卻積極的用文學的筆觸描寫下來，讓我們分享人生道路的甘苦。

散文家陳正家先生說：

落蒂以寫詩和詩評聞名……用筆平實，沒有任何渲染，幾乎所有的生活都是原汁原味，沒有添加人工甘味，所有的故事，都是原版原寸，不是合成照片，所有的人物都是原音原形，沒有瘦身，更沒有增胖。

這都是最中肯最貼切的評論，讀後令人折服。

・民國九十四年十二月發表於《海鷗》三十三期

文章錦鏽展新姿

‧評介《輕舟已過萬重山》和《雪白梅香費評章》

出版：文史哲出版社。商務印書館

詩人評論家文曉村先生於民國二〇〇五年八月在文史哲出版社出版了《輕舟已過萬重山》，緊接著又於二〇〇六年元月在商務印書館出版了《雪白梅香費評章》。不到半年的光景，先後出版了兩本評論詩文的專書，文學類的書籍在出版界日益衰微的今天，較為冷門的評論專書，想要出版，談何容易。因此，文曉村的兩本評論專書的出版，實在是一件難能可貴且值得額手相慶的事。為了對這兩本書有概括的瞭解特列表於後：

書名／卷名／分卷	輕舟已過萬重山	篇數	雪白梅香費評章	篇數
卷一	評論	17	評論篇	12
卷二	序跋	10	序跋篇	22
卷三	附錄	2	懷故篇	9

由上表可以看出兩本書的大同小異之處。儘管書中有評論、序跋之別，但卻都是以評析推介詩文作品為骨幹的。

這兩本書不同的地方有三點。

其一是：《輕舟已過萬重山》評論部分，除了以〈氣象萬千爭輝映〉為題，談兩岸詩歌交流大勢，以及〈五十年來台灣詩風的演變〉為題，是在重慶西南師大所舉辦的首屆「華文詩學名家國際論壇」所發表的論文。序跋部分，除了《詩歌之旅》、《九歌行》、《江南詩旅》和一九九六、二〇〇一《中國詩歌選》專書的序跋外。另外，為詩人劉建化的《九歌行之旅》的序文，其他皆是評論大陸詩人的作品。

在《雪白梅香費評章》評論篇〈小詩點評〉一文，除了簡要評介寄居美國的詩人夏菁、非馬和寧夏的李棟樑、上海的宮璽四位詩友的作品。序跋篇中的《三月情懷》、一九九七年《中國詩歌選》、《葡萄園詩論》、《葡萄園目錄》、《葡萄園小詩》及《園丁之歌》等專書的序文外。清一色都是評介台灣詩人作品的。

其次是：《輕舟已過萬重山》卷三，附錄了葡萄創刊三十五周年詩會回顧及從一九八七年十一月至二〇〇五年六月，兩岸詩歌文化交流大事記。而《雪白梅香費評章》卷三懷故篇九篇作品中，除了以〈大師風範〉為題追懷詩人覃子豪老師；〈歲月滄桑話園丁〉追憶葡萄園創刊詩人：古丁、李佩徵、王在軍、徐如鄰；《懷念詩人李春生》三文，為追記性的懷念故人作品外，其他六篇雖亦屬同類型的作品，但且或多或少的論及詩人作品。是以，又和評論、序跋之作並無差別。

其三是：《輕舟已過萬重山》在序文之後，以〈兩岸詩蹤集粹〉為名，用銅版紙加印了十六頁彩色活動照片。對作者來說，具有紀念意義，對讀者來說，除了可以得到調劑外，也是一種美的饗宴。

歐陽文忠曰：

> 「世謂詩人多窮。『非詩能窮人，殆窮者而後詩工也。』」

記得在拙著《雲天萬里情》一書的序文中說：

> 由於疏懶成性，提筆為文，大部分的篇章都是被「逼」出來的。古有「文窮而後工」的說法，以個人目前生活境況來說，……，既不必煮字療飢，也沒有苦難纏身，想要「窮」也無由窮起。既然不窮，而想要文工，豈非癡人說夢。

詩人評論家文曉村也時有詩人作品寫序寫跋受時間所逼之苦。在《雪白梅香費評章》一書中，如一六八頁為路痕寫序就有「分身乏術之苦」的感嘆。一八四頁為晶晶寫跋就有「心中不免暗暗叫苦」的無奈；

二一四頁為序喬洪詩集，有「短時間內無法分心他顧」的困窘。序跋之作，皆受時間限制所「逼」，說是被逼出來的，也有幾分道理。是以，我曾向曉村兄建言，寧可答應詩友出書後寫評，儘量避免答應寫序，自找麻煩。

・民國九十五年八月發表於《葡萄園》一七一期

賦詩嘯歌且徐行

・評介金筑的《飛絮風華》

出版：

《飛絮風華》是詩人金筑繼《金筑詩抄》、《金筑短詩選》的第三本詩集。

《飛絮風華》分為「飛絮小品」、「上行之歌」及「遠方的呼喚」三大部份。飛絮小品可以說是短詩集錦，一頁一首詩共有詩作五十首。正如作者所說：「飛絮小品」大多近年之作，是多年歷驗人生縷心刻骨的自剖，有情、有愛、有苦、有甜。「上行之歌」共錄詩作五十二首，係作者借用《聖經》詩篇中〈上行之詩〉的篇名更改一字而成，希望能達到激勵的效果。「遠方的呼喚」依目錄篇目錄詩三十二首，但遙夢已碎分為三首，敘舊一束分為七首，實際詩作當有四十首。該部份作品，正如作者所說：以詩抒敘生活的點點滴滴，也是奮發嚮往之作，雖然歲月已蒼蒼，也要昇騰年少的初心，以鵬舉翱翔的翅膀，向「遠方的呼喚」直奔，善盡一份對人世進步的貢獻。

「愛」是千古不移的標桿，是以古今中外的文學作品，以愛為主題的比比皆是。唐君毅先生在《人生之體驗》一書中對愛的詮釋，入木三分，真切深刻，發人深省。他說：

人間的結合，最高貴的，是愛的結合。
愛是相愛的人的生命之滲融者、貫通者。
愛破除了人與人間的距離，破除了人與人間各自之自我陣壁，使彼此生命之流交互滲貫，而各自擴大其生命。

所以愛裡面必包含著犧牲。犧牲是愛存在之唯一證明。愛，可以說是人類生命的軸心，愛，也是人類生存的要件，愛，更是人類生活的焦點。俄國文學家高爾基曾說：

沒有太陽，鮮花不會開放，沒有愛，人類便沒有幸福，沒有女人，便沒有愛，沒有母親，便沒有詩人和英雄。

他更有詩云：

愛情產生，像烈火熊熊

我們在情火中燃燒
自己也奇跡般的變成
美麗、明亮的火苗

前人所謂「愛情永不衰老」的說法，頗有幾分至理，試想如果愛情真的會衰老乃至滅亡的話，那麼在這紅塵滾滾、繁華紛雜的人間世，如何透露出生機和活力，那該是多麼冷酷的世界啊？

詩人歌德就曾經說：

愛是真正促使人類復甦的動力！

《飛絮風華》詩集中有關愛情的作品，詩人文曉村在〈詩人‧歌者的演出〉序文中，剖析詳盡，我就不再贅述。

在飛絮小品中，我隨意翻著，翻著，翻到四十頁題為〈井蛙〉的作品，讀著讀著，心有所感，深深地被作者以最平實、明朗的詩句，以及最精純、最巧妙的構思所吸引、所折服。

〈井蛙〉原詩是：

一隻蛙
　井底坐著
儼然哲人
夜觀天像
那顆星星
　隱隱約約
蛙自云：是月亮
正好
一隻鳥飛過
　一粒糞便
撒在
鼓噪的唇邊
　啊……這是人們
　　所說的「？」
蛙　霎時似有
頓悟

井蛙，即使是瞳孔明亮，視力奇佳，而其視野，僅能及於井口之見，所見之小，拘於環境之使然。設若井蛙患有近視或色盲之疾，所見就更不真實了，怪不得井蛙會誤以為隱隱閃閃的星星是月亮了。更妙的是正好飛過的鳥的糞便，撒在井蛙的唇邊，而妙而尤妙的是井蛙的頓悟，仍然是一個大?號，這就不得不令人擊掌叫絕了。

文心雕龍神思篇所云：

「文之思也，其神遠矣！故寂然凝慮，思接千載；悄然動容，視通萬里；吟詠之間，吐納珠玉之聲；眉睫之前，卷舒風雲之色，其思理之致乎！」

陸士衡文賦云：「立片言以居典，乃一篇之警策。」老杜詩也有「語不驚人死不休」的說法。足見提筆為詩為文的人，無不致力於此，遣詞造句，苦心經營之外，更要充分發揮文字組合後所產生的魔力，來引起讀者的共鳴。這種靈光乍現，充滿哲思意味的詩篇，的確能達到發人深省，啟人妙悟的境地。

人類個人與個人間之愛，最真摯有力的，是父母對子女之愛，因為這是生命原始愛流之順流而下。

最胣懇可貴的，是子女對父母之愛，因為這是生命原始愛流之逆流而上。

唐君毅先生在《人生之體驗》一書中的至理名言，詩人金筑以詩作了最佳的印證。請看〈連心〉這首詩：

從家門
走出村莊
走出母親的眼神
向天涯　向海角
形影無蹤　飄忽不定
零碎的步履
仍踢踏著母親的心跳

從故鄉
走進流浪
走進母親的牽掛
向莽原　向荒野
惆悵淒淒　惶惶迷離
心室的邦浦

仍脈動著母親的暖流

我國自古以來就十分注重母教，因之產生了不少賢臣良將、才俊豪傑。最耀眼且傳世久遠盡人皆知的例子，如：孟母仉氏，三遷其居，斷機教子；岳母姚氏，針刺子背，精忠報國；歐母鄭氏，親自督責，畫荻習字；蘇母程氏，日夜課子，誦詩讀經；在母親的教誨下，使得孟子、岳飛、歐陽修、蘇東坡這四位偉大的人物，成為世人景仰讚誦的對象。

詩人金筑除了在〈連心〉一詩中對母親的眼神、母親的牽掛，在詩人的脈博中躍動，在詩人血液中奔流，是一種鞭策，是一種激勵，也是一種動力之外，其在〈五月的康乃馨〉及〈思歸〉詩篇中，也充分流露著對母親深深的崇敬之忱與思念之殷，讀之令人動容。

詩人金筑在小我之外，在詩作中也十分關切生存的環境及兩岸的問題，例如〈心鎖〉、〈蟬嘶〉，讀者可慢慢的品賞，限於篇幅不再詳述。

最後，感謝詩人金筑於一九九六年六月十六日，小女西梅在國立台灣師範大學音樂系畢業，於師大演奏廳舉行畢業演奏會時，詩人金筑闔府光臨捧場，事後並以〈西梅的琴韻〉一詩刊出予以鼓勵，今又在《飛絮風華》收錄該詩，感到十分榮幸，僅在文末致以最深最真的感謝之忱！謝謝您！金筑好友。

・民國九十六年二月發表於《葡萄園》一七三期

我輩讀書人

入則孝出則弟

守先待後

得志澤加於民

不得志修身見於世

風入園林總是春

・評介莊雲惠的《歲月花瓣》

出版：詩藝文出版社

當我捧讀詩人畫家莊雲惠的新詩集《歲月花瓣》時，早年在拙著〈水聲〉一文中，那種對生命成長歷程中頗有深刻感受的片段，又一次湧上我的心頭，而且十分強烈的撞擊著我，使我暈眩得不知所云的呢喃著：

「生命的存在，神聖而莊嚴；有時又荒謬得有點不可思議！」

請容我先引述〈水聲〉部分原文作為佐證：

就讓它嘩啦嘩啦的流吧！

在這蒼茫的暮色裡，那潺潺不絕的琮琮流水聲，流啊流的，不知疲憊，永無休止，千年如一日，鏗鏘而去。

流去的，豈僅是無盡的歲月？不，那也是生命的璀璨。流吧，就如此不停的流吧！

即使是能化腐朽為神奇的曠世巨才，當此之際，也束手無策，莫可奈何！所以，小的大了，大的老了，老的倒地長眠了。當你猛然回首，驟然覺醒時，能不浩然悵然，眼花撩亂，不知所措嗎？

時間是一把無情的利劍，它在人們的臉上，刻劃出很多美麗的皺紋。啊！好友。難道說，我們就滿足於擁有這一份單薄的美麗？那是否太可悲了一點。誰又甘心情願？自古以來，不管是販夫走卒，農夫小民，乃至聖賢豪傑，英雄美人，誰的腳步能跨越時間之流而永存不朽呢？誰又能渡河有術，泅泳而過，不被淹沒呢？

所以，舒展自己，擁抱自己，肯定自己，躍昇自己；是不容遲疑的！啊！好友。年少時飲盡千古悲戚的豪氣，凌霄青雲的壯志，怎麼被折騰得見首不見尾了，該不是就如此的，啞然無語，銷聲匿跡而成為熄了的灰燼吧！

只是感時花濺淚，這種情懷，美倒是很美，但美得豈不有點悲愴、淒涼。

《歲月花瓣》是女詩人莊雲惠繼《紅遍相思》、《心似彩羽》、《綠滿年華》以及《莊雲惠短詩選》之後所出版的第五本新詩集。全書分為：燕想、溶心曲、貯情、千絲、長願為你等五卷。書前有詩人畫家梁雲坡、詩人文曉村和遠在遼寧的詩人薩仁圖婭的序文，書後除了雲漪及蔣世傑兩位的評介專文外，並有作者以〈花飛花舞花滿心〉為題的後記。該詩集的另一個特色是詩人手繪的插畫，在閱讀詩的同時，無形中也增添了一份美感，真的可以說是詩畫並陳的美好饗宴，令人心曠神怡，愛不釋手。

《歲月花瓣》全書以「情」作為主軸，貫穿大部分詩作，偶有寫景之作，大都為襯托之用，而以彰顯情的內涵為實。

李漁窺詞管見云：

「詞雖不出情景二字，然二字分主客，情為主，景為客。」

劉熙載詞概云：

「詞家要辨得情字；詩序言『發乎情』，文賦言『詩緣情』，所貴於情者，為得其正也。」

夫妻之情，母子之情，師生之情，流露在《歲月花瓣》的篇什行間。

請看〈媽媽的心〉：

做了媽媽
才知道媽媽的心

像纖柔的嫩蕊
怕風　怕雨
怕孩子你一朝一夕的病痛

做了媽媽
才知道媽媽的心
像脆弱的新葉
怕風　怕雨
怕孩子你一點一滴的淚水

做了媽媽
才知道媽媽的心
為了孩子
承受風吹　抵擋雨打
只願你平安長大

〈媽媽的心〉這首詩，形式工整，內容平實，每段的前兩句：「做了媽媽，才知道媽媽的心」這正如大家熟知的諺語：『養兒始知父母恩』的至理。

唐君毅先生在《人生之體驗》一書中說：

人類個人與個人間之愛，最真摯有力的，是父母對子女之愛，因為這是生命原始愛流之順流而下。

最朓壂可貴的，是子女對父母之愛，因為這是生命源始愛流之逆流而上。

這種對愛的詮釋，入木三分，真切深刻，發人深省。

請看另外一首〈戀戀慈心〉：

睜開明亮眼睛
看這新趣人境
伸著稚嫩小手
抓握美好幼年

向你逗趣　拉你小手
湧生滿懷盼願

襁褓中，你是我生命的延續
是我血肉之軀的精選

耗損一丈青春
成全你生長一吋
當毛羽漸豐
鼓舞你飛向藍天

我的默默慈願
戀戀手溫
暖暖心向
護你啟航
伴你飛騰
壯大奮邁萬里程

一種迎接新生命的喜悅之情，在字裡行間閃爍躍動。生命的延續，擴展，掩蓋懷胎十月以及生產時所帶來的痛苦折磨，這就是普天之下為人母的偉大之處。做了母親之後，才會萌生「低回愧人子，上負慈母恩」的感受，是以對子女會格外的疼惜。

〈戀戀慈心〉在形式前三段都是四行一段，所以，若將「暖暖心向」移至「戀戀手溫」之下，「伴你飛騰」移至「護你啟航」，如此也濃縮為四行，豈不更具形式之美，不知作者以為然否？

另外，在〈你在我心上〉、〈行前〉等詩作，也都蘊含著為人母難以割捨的牽掛；甚至將孩子的每一歷程，都在母親的心中「凝定成生命景觀的集點。」

自你離去
不想讀詩
詩中縈繞的影子
恍惚地令我神傷

自你離去
不願寫詩
筆間顫動的淚意
潤濕了模糊的思緒

自你離去
不敢繪畫
顏彩中流洩著你的期盼
浩漫的沉重讓我心碎

結緣二十二載
留給我半生的回憶
你以有涯歲月
換我無涯思念
這殘忍的恩典
當以淚水默默領受

讀完〈自你離去〉一詩，雖然作者並未標明副題和後記說明文字，但熟悉的詩人朋友，一看該詩就知道作者是追念已故詩人畫家王祿松的。

就如作者在《歲月花瓣》後記中所說：

我很幸運能遇見王祿松老師，一位教導我，提攜我、改變了我命運的老師……。

自從追隨王祿松老師寫詩習畫至今，二十餘年來逐夢的心未曾停歇，築夢的願未曾斷卻，圓夢的腳步更未停滯。王老師深切的期許，是我沉重而美麗的負擔；多年以來，他一點一滴的要求著我，帶領我在藝文的長途上跋涉。

再者，追念王祿松老師的詩作：〈你在那裡〉，也十分明顯；其他是否還有類似詩作，就有待讀者諸君去細細品味《歲月花瓣》了。

在生命成長歷程中，能幸運遇到良師教誨，是十分幸運的。

詩人文曉村在《歲月的花瓣》的序文中說：

在家庭、職場、創作，三重壓力下，體力負荷不堪，才女與黛玉結緣，三番五次，進出醫院……度過很長一段的煎熬。……躺在手術台上，全身麻醉，任人宰割，幾乎是從死亡中重獲新生。這就是我所知道的莊雲惠。

讀了文曉村序文的片段，再讀讀《歲月花瓣》二三二頁〈病中〉一詩，假若莊雲惠所遭逢某些病魔的折磨，如果是我的話，我懷疑自己即使是曾經轉戰南北，沙場老將，堂堂男子漢，能否勇於面對這種難關，是一大難題，是以我在內心深處，急切的高呼：

莊雲惠，妳是生命鬥士的勇者。

·民國九十六年十一月發表於《葡萄園》一四八期

優游書海樂逍遙

．《書海微波》後記

作者：秦嶽

讀書的目的，不僅在增進知識，更重要是在變化氣質，端正品行。這是人盡皆知的事，所謂「玉不啄，不成器；人不學，不知道。」就是此意。

石樹詩云：「讀書可不死，讀書可忘貧；至若不讀書，便是貧死人。」足見讀書的重要了。

然而，莊子就曾經說：「吾生也有涯，而知也無涯。以有涯隨無涯，殆已！」在浩瀚的書海中，沒有讀過的書永遠多於讀過的書。

林語堂先生說：「讀書並不在多，最重的是選得精，讀得徹底。與其讀十部無關輕重的書，不如取以讀十部書的時間和精力去讀一部真正值得讀的書。與其十部書都只汎覽一讀，不如取一部書精讀十遍。」

英國散文作家亞歷山大．史密斯說：「我從書的世界裡挑選書，一如我從人的世界上挑選和我親蜜的人一樣。」

書，是人類智慧的結晶，思想的寶庫；也是民族文化的瑰寶，國家歷史的軌跡。所以說，學可以不上，書不可以不讀。讀書固然十分重要，然而，在有限的生命中，擇書而讀，更是不可忽視的課題。

古有「學，然後知不足」及「書到用時方恨少」的感嘆！俗諺也有「活到老，學到老；學到老，學不了」的認知。怪不得古人有「囊有餘錢盡買書」的作法，這的確是令人欣羨不已。

「士大夫三日不讀書，對鏡覺面目可憎，對人覺語言無味。」古人這種喜好讀書的癖性是多麼可貴啊！所謂「好書不厭百回看，熟讀深思子自知」，的確是有其道理的。至於張潮在其《幽夢影》中說：

「少年讀書，如隙中窺月，中年讀書，如庭中望月；老年讀書，如台上玩月。」

這幾句話將讀書的層次與境界，描寫得淋漓盡致。

職是之故，有勤於灌溉的園丁，才有芳香甜美的果實；有勤於琢磨的工匠，才有光彩耀目的寶石；有勤於苦讀的學者，才有圓融豁達的智慧。

《書海微波》這本書，大部分的作品是我主編《中市青年》時，在每期一書專欄中發表過的，部分作品先後分別在明道文藝、中華日報副刊、台灣日報副刊、屏東青年、海鷗詩刊等報刊雜誌發表。其中朱光潛的《談美》，謝冰瑩的〈女兵自傳〉、羅家倫的〈新人生觀〉以及蔣夢麟的〈新潮〉等幾位大師的作品，是文建會委由明道文藝製作「台灣流行文藝」的調查評介，編印成書，名為《翰海觀潮》。而我則是應明道文藝陳社長憲仁之邀，參與評介工作而完成的作品。

《書海微波》除了一篇是淺析詩翁余光中先生的〈車過枋寮〉一首詩以及〈文章錦繡展新姿〉評介詩人文曉村的兩本性質相近的書之外，其他皆是個人專書的評介。由於個人腹笥其儉，胸無點墨，僅憑口耳之學，抒發管窺之見，疏漏誤謬之處，尚請方家教正。

最後，謝謝邱老師賜序宏文並給與鼓勵，深致敬仰之忱！再者，文史哲出版社彭正雄先生慨然應允，出版拙著，致上最誠摯的謝意。

・民國九十七年二月十五日於台中太平

國家圖書館出版品預行編目資料

書海微波 / 秦嶽著.-- 初版.--
臺北市：文史哲，民97.2
頁； 公分. --（文學叢刊；196）
ISBN 978-957-549-760-9（平裝）

855 96024946

文學叢刊 196

書海微波

著　者：秦　嶽
出版者：文史哲出版社
http://www.lapen.com.tw
登記證字號：行政院新聞局版臺業字五三三七號
發行人：彭正雄
發行所：文史哲出版社
印刷者：文史哲出版社
臺北市羅斯福路一段七十二巷四號
郵政劃撥帳號：一六一八〇一七五
電話886-2-23511028・傳真886-2-23965656
實價新臺幣三二〇元
中華民國九十七年（2008）二月初版

ISBN 978-957-549-760-9